QUE SAIS-JE ?

La Commune de 1871

JACQUES ROUGERIE
Ancien élève de l'École normale supérieure

Troisième édition corrigée

15e mille

ISBN 2 13 044395 8

Dépôt légal — 1re édition : 1988
3e édition corrigée : 1997, octobre

108, boulevard Saint-Germain, 75006 Paris

INTRODUCTION

La Commune, objet « chaud » a longtemps divisé les chercheurs. Elle a eu sa légende noire, immédiatement après l'événement, celle de la révolte sauvage des « barbares et bandits » ; celle-ci est passée de mode, encore qu'il y a peu, mésusant de concepts de la psychanalyse dont l'historien n'a pas vraiment conquis la maîtrise, tel parle encore de « névrose révolutionnaire », de « retour du refoulé »... Elle a eu aussi sa légende rouge, aisément explicable. Toutes les révolutions ou les insurrections socialistes du XXe siècle se sont voulues, de quelque manière, fille de l'insurrection parisienne de 1871, et c'était à tout prendre, politiquement, leur droit. Historiquement, cette légende a pu se révéler redoutablement déformante. Toute une historiographie socialiste, marxiste léniniste surtout depuis la Révolution soviétique de 1917, s'était assignée pour tâche de démontrer « scientifiquement » que l'onde révolutionnaire qui parcourt le premier XXe siècle trouvait sa source vive dans une Commune dont elle se déclarait seule légitime héritière et propriétaire. La conséquence fut qu'on chercha d'abord à quêter, par analyse anachroniquement rétrospective, les preuves formelles de cette filiation. Les historiens d'extrême gauche oubliaient le beau précepte que Lissagaray, communard et historien « immédiat » de la Commune avait placé en exergue à son livre : « Celui qui fait au peuple de fausses légendes révolutionnaires, celui qui l'amuse d'histoires chantantes est aussi criminel que le géographe qui dresserait des cartes menteuses pour les navigateurs. » A lui aussi d'ailleurs, il est parfois arrivé de l'oublier. Aujourd'hui, on peut espérer qu'une histoire apaisée de la Commune de Paris est devenue possible, sans pour autant qu'on prenne l'événement comme un « objet froid ».

Ce livre devrait, si l'on osait, s'intituler *L'année terrible* : année qui courrait du 19 juillet 1870, jour de la déclaration de guerre à la Prusse, jusqu'au 2 juillet 1871, où, dans près de la moitié de la France, des élections partielles virent la première grande victoire du parti républicain. Car l'histoire des soixante-treize journées de l'insurrection parisienne doit être considérée comme un moment majeur de l'histoire de la conquête de la France par les républicains, ou de l'acquiescement des Français à la République. La Commune se voulut inséparablement démocratique, sociale, républicaine – on s'expliquera sur le sens que les Parisiens de 1871 donnent au mot de République. Elle est dans cette année un sommet original, qu'on abordera ici par ses pentes : la crise politique du Second Empire, la première Révolution du 4 septembre, la guerre, le siège, la capitulation de la Ville... Élargie dans le temps, l'histoire doit l'être aussi dans l'espace. Et il ne sera pas question ici du seul Paris. Il faut replacer les journées parisiennes dans un ensemble plus large : celui d'une France provinciale qui n'est pas seulement celle qu'on a accoutumé de désigner comme la France des « ruraux ». La Commune de Paris n'est aussi qu'un fragment, quoique le plus important, d'un tout bien plus grand. Regardée au miroir provincial, l'année 1871 prend une dimension neuve.

Chapitre I

NAUFRAGE DU BONAPARTISME

La Commune, ce fut l'« antithèse » de l'Empire, écrit K. Marx. Jugement sûrement excessif, ne serait-ce qu'en raison de la disproportion des deux faits. On verra cependant qu'il n'est pas sans quelque vérité. Et pour comprendre les événements de 1871, il faut revenir sur les derniers jours de l'Empire finissant, contre lequel se dresse déjà la Ville, sa capitale, Paris.

La fin du césarisme. — L'Empire avait promis d'être la paix : à l'extérieur, ce ne sont que déboires, italien, mexicain ; aux frontières grandit une redoutable concurrente, la Prusse. A l'intérieur, après une étonnante période de prospérité, les temps économiques se sont assombris, les mécontents se font toujours plus nombreux, dans toutes les classes sociales. Politiquement les élections de 1869 au Corps législatif ont été un revers : 4 438 000 voix sont allées aux candidats gouvernementaux, 3 355 000, plus de 40 %, à l'opposition, prise au sens large, libérale et républicaine.

L'Empire conserve la majorité. Mais il y va de la nature du régime.

Le bonapartisme est un régime d'ordre, d'autorité, assurés par la force de l'exécutif, la domination incontestée d'un seul. Non pas un ordre imposé, tyrannique : une autorité acceptée, consentie par la Nation. Napoléon III est l'élu de tous les Français, qu'il représente, tous. L'empereur est au-dessus des « coteries », des partis, des intérêts particuliers qu'il réconcilie en sa personne. Alors, écrit Marx – c'est à cela qu'il songe en évoquant une antithétique Commune –, l'État se plaça au-dessus de la société civile.

En 1869, une large fraction de la classe politique hésite et doute. Les possédants avaient, en 1851, accepté de s'en remettre au despotisme protecteur de l'exécutif. Celui-ci désormais leur pèse. Ils réclament les « libertés nécessaires » : entendons un partage équitable des responsabilités entre l'exécutif et le législatif, un retour au régime parlementaire, dont le système bonapartiste est précisément « l'antithèse ». La majorité nouvelle qui se dégage au Corps législatif, c'est un tiers-parti, politiquement parlementariste, socialement conservateur. Après des réticences, Napoléon III a confié à Émile Ollivier, le 2 janvier 1870, la tâche de « former un cabinet homogène, représentant fidèlement la majorité du Corps législatif ».

C'en est fini du césarisme. Ce n'est pas pour autant la fin de l'Empire. Le nouveau système de gouvernement n'est pas un mauvais replâtrage. L'empereur a su en vérité clore magistralement le débat. Il a interrogé le pays par plébiscite, le 8 mai 1870 : celui-ci a approuvé « les réformes » à une écrasante majorité : 7 350 000 oui, 1 538 000 non. Il ne reste qu'à faire la preuve que l'Empire renouvelé, rajeuni, peut être ordre, équilibre et prospérité.

La République et la Révolution. — L'opposition réelle, totale, celle qui veut la Révolution – si l'on veut bien entendre le terme en son sens le plus simple –, c'est celle qui combat pour la République. Le vrai parti révolutionnaire, c'est le parti républicain.

Décimé au Coup d'État, voici qu'il retrouve un nouveau souffle. Il a des hommes, des cadres, nombreux et actifs : revenants romantiques de la Seconde République et de la proscription, jeunes « radicaux » de la nouvelle génération. Il a sa presse, le vieux *Siècle,* toujours combatif, *L'Avenir national,* et, depuis peu, *Le Rappel,* de Charles Hugo. En mai 1869, le plus prestigieux des jeunes radicaux, Gambetta, s'est fait triomphalement élire, dans les quartiers populaires du nord et de l'est de Paris, sur une profession de foi agressive, le « programme de Belleville ».

« Au nom du suffrage universel, base de toute organisation politique et sociale », il exige la fin de la politique du « bon plaisir », l'octroi sans réserve de toutes les libertés, individuelles, de presse, de réunion, d'association ; l'instruction primaire laïque, gratuite et obligatoire ; la séparation de l'Église et de l'État, l'abolition des armées permanentes. Au nom du principe de justice et d'égalité sociale, « l'abolition des privilèges et monopoles... ».

Candidat du Peuple à Paris, Gambetta l'était également à Marseille, où il tendait la main aux élites urbaines :

« Une fois scientifiquement organisée, (la démocratie radicale) assurera le plus merveilleux développement de l'activité humaine. Elle nous rendra politiquement plus libres, intellectuellement plus savants, économiquement plus aisés, moralement plus justes, socialement plus égaux, et elle établira l'ordre sur l'équilibre et l'harmonie des droits et des intérêts. »

Révolutionnaire, l'idée républicaine plonge des racines profondes dans le souvenir de la Grande Révolution, d'abord dans celui des jours glorieux de la période patriote et jacobine de 1792 et 1793. On se met à en faire sérieusement l'histoire ; on réédite les « grands ancêtres », Danton, Marat, Robespierre ; on réapprend les « immortels principes ». On est dans le parti, plus volontiers dantoniste que robespierriste, parfois girondin. Mais, pour tous, il s'agit de parachever une œuvre commencée voici bientôt cent ans :

« La France est engagée, sous peine d'abaissement, et peut-être de mort sociale, à terminer la Révolution française... Il ne faut pas que le centenaire de 1789 se lève sur nous sans que le Peuple ait reconquis pour lui comme pour le reste du monde l'héritage politique dont il est dépossédé depuis le 18 brumaire... » (Gambetta, 22 juillet 1869).

Si les plus vieux républicains fondent leurs certitudes sur Rousseau et *Le Contrat social,* la jeune génération cherche les siennes dans le kantisme et le positivisme comtiste, vulgarisé par Littré. Il existe un sens de l'Histoire : c'est le cheminement de celle-ci qui conduira à la « démocratie scientifique », à une République qui concilie *ordre et progrès.* Toute violence serait déraisonnable et inutile. Le régime périra de ses contradictions : d'abord de celle, majeure, qui existe entre le pouvoir d'un seul, malgré tout conservé, et la souveraineté de tous.

Au moment des élections de 1869, quelques-uns avaient cru l'heure des bouleversements venue. Certitude prématurée ! A tout prendre, sur 292 députés, il n'y a pas une quarantaine de républicains vrais : au mieux 25 « irréconciliables ». Au plébiscite de mai 1870, il n'y a eu qu'un million de refus : à peine 20 % des votants. La Révolution républicaine n'est pas pour demain. Du vote se dégage pourtant une redoutable évidence. Minoritaire dans le pays, la République l'a presque toujours emporté dans les grandes agglomérations, et dans bon nombre de moyennes. *Pauci, sed fortes !* Rapiécé ou rajeuni, l'Empire conserve la majorité, mais c'est une majorité rurale.

La République : pour la majorité des dirigeants du parti, ce sera une révolution tranquille. Il n'en existe pas moins une frange pressée, révolutionnaire au sens commun du terme, forte surtout à Paris où elle trouve un large appui populaire : la « démagogie furieuse », disent les impérialistes. On y compte Charles Delescluze, vétéran des luttes de la Monarchie de Juillet et de la Seconde République, revenu du bagne, puissant grâce au journal *Le Réveil.* Les foules de la capitale s'enflamment pour Henri Rochefort, frondeur et populacier, élu à son tour de Belleville en novembre 1869, y succédant à Gambetta qui a opté pour Marseille. Autour de lui et du « communiste » J.-B. Millière, une ardente équipe de socialistes révolutionnaires s'est rassemblée pour lancer, en décembre 1869, *La Marseillaise,* diffusée à 50 000 exemplaires à Paris et dans toutes les villes. Secrètement, Blanqui, « Le Vieux », « L'Araignée de la Révolution », continue de tisser patiemment ses toiles conspiratrices.

Capacité sociale et politique des classes ouvrières. — En 1866, sur 38 millions de Français, 11 ou 12 vivent des « professions industrielles ». On dénombre 5 millions de travailleurs actifs : 3,5 millions de salariés, 1,5 million de patrons. Il y a 830 000 actifs dans le bâtiment, 1 150 000 dans le vêtement, 1 million dans le textile ; la métallurgie n'en compte que 250 000, la mine 200 000. En dépit des progrès accomplis par le capitalisme, l'industrie, la classe ouvrière conservent des traits fortement traditionnels. La petite industrie, l'industrie peu concentrée dominent. Prolétariat ? Entre eux, les ouvriers se nomment en effet volontiers encore « prolétaires » – un mot de 1830. Plus fréquemment « producteurs », ou simplement « travailleurs », « serfs du salariat », cette nouvelle « féodalité ».

Classe ouvrière ? il est trop tôt pour user de ce mot à moins qu'on ne l'entende au sens faible de catégorie. On parle alors plus volontiers des classes ouvrières. On aurait bien du mal en effet à regrouper en un ensemble homogène les prolétariats français, travailleurs si divers d'industries si variées : prolétaires réels des grandes usines, artisans des multiples métiers urbains, très spécialisés, ouvriers et surtout ouvrières, façonniers des grandes maisons de confection, ouvriers-paysans, majoritaires dans le textile, nombreux dans la mine ou la sidérurgie. Il y a l'ouvrier des villes petites et moyennes, sans couleur industrielle précise ; l'ouvrier des villes vouées à une ou deux industries prédominantes : cités manufacturières du textile, coton de Lille, des villes et villages d'Alsace laine de Roubaix, de Reims d'Elbeuf... ; Limoges, porcelainière et cordonnière, Saint-Étienne, avec sa mine et sa passementerie ; cités déjà usinières de la mine et de la métallurgie, Le Creuzot*, Anzin, Decazeville Fourchambault... Il y a les masses nombreuses des grandes agglomérations multi-industrielles, Rouen, Marseille, Lyon. Il y a d'abord, multiple et divers, l'ouvrier de Paris.

Victime majeure du Coup d'État, le mouvement ouvrier a repris force au début des années 1860,

* L'orthographe du temps est Creuzot.

depuis notamment que l'empereur a octroyé en 1864 le droit de coalition. Les associations ouvrières se forment (ou se reforment) au grand jour : coopératives de production, de consommation, et surtout sociétés de secours, de crédit mutuel, de solidarité. Certaines osent se dire de « résistance », agissent par la grève ; quelques-unes prennent déjà le nom de Chambres syndicales : le gouvernement les tolère depuis 1868. On dénombre une centaine de sociétés ouvrières à Paris au début de 1870, une trentaine à Lyon, une vingtaine à Marseille, autant à Rouen. Dans les quatre grandes métropoles du travail, les sociétés de travailleurs s'allient en Chambres fédérales des Métiers, qui préfigurent ce que seront, vingt ans plus tard, les Bourses du Travail. Le mouvement fait tache d'huile, gagne Reims et Saint-Quentin, Saint-Étienne et Limoges, Le Creuzot, Roubaix et Lille... On commence à parler d'une Fédération nationale de ces unions locales. Les sections françaises de l'Association internationale des Travailleurs, constituée à Londres en 1864, coiffent ce mouvement.

Elles ne rassemblent probablement encore que quelques centaines de militants, quelques milliers (une cinquantaine ?) d'adhérents réels. Elles ont aidé, coordonné le mouvement des grèves qui s'amplifie depuis 1864. Les moyens de l'AIT sont limités, mais pour les possédants, le seul terme « international » fait entrevoir un complot terrifiant. Ses militants ont en quelque sorte catalysé le mouvement syndical qui grandit : à Paris, le relieur Eugène Varlin, à Rouen, le lithographe Émile Aubry, à Lyon et à Marseille, les employés Albert Richard et André Bastélica.

L'AIT tient des congrès ; à Bâle, en septembre 1869, 81 délégués, dont 27 français, se sont prononcés pour la généralisation des Chambres de Travail, la collectivisation de la terre et des mines, des moyens de transport et de crédit. Timidement, les militants commencent à s'interroger sur le problème de l'État, de la réduction nécessaire de ses pouvoirs, peut-être de sa disparition pure et simple. Le délégué français Pindy a évoqué l'organisation de futures « communes » :

« Le groupement des différentes corporations par ville forme la Commune de l'avenir. Le gouvernement est remplacé par les conseils des corps de métiers et par un comité de leurs délégués respectifs, réglant les rapports du travail qui remplaceront la politique... »

En 1865 a paru, posthume, *De la capacité politique des classes ouvrières,* de Proudhon. Cette capacité commence en effet à s'affirmer. Sur ce plan toutefois les militants sont encore partagés, incertains.

Beaucoup, imprégnés de la pensée proudhonienne craignent qu'on ne compromette l'originalité du mouvement renaissant en le mêlant de trop près aux querelles politiciennes : la lutte doit se situer sur le seul terrain économique. Quelques-uns, Richard, de Lyon, Bastélica, de Marseille, ont subi l'influence de l'anarchiste russe Bakounine, qui prône la nécessaire abolition de l'État : ils rejettent toute alliance avec les politiques « bourgeois », fussent-ils les plus radicaux. A Paris, l'ouvrier relieur Varlin, l'animateur et l'âme du mouvement dans la capitale, est plus nuancé : « Nous ne pouvons rien faire, comme réforme, si le vieil État politique n'est pas anéanti... Tout en préparant l'organisation sociale future, ayons l'œil au mouvement politique... »

La grande majorité des ouvriers croit et espère en la forme républicaine. Celle-ci n'est pas seulement un préalable : la République est consubstantiellement démocratique et sociale. Dans la capitale, les grandes villes, les internationaux mènent une lutte conjointe à celle de l'extrême gauche républicaine : *La Marseillaise* est aussi l'organe du mouvement social.

Les dernières années de l'Empire ont été marquées par des tensions sociales croissantes, avec trois grandes vagues successives de grèves : 1864, 1867 et 1869-1870. A Anzin, La Ricamarie, Decazeville, en 1869, aux mines et à l'usine du Creuzot en 1870, on a fait donner la troupe, qui a tiré.

Paris. — La Ville a démesurément grandi depuis vingt ans ; elle comptait un million d'habitants en 1851, elle en a presque deux en 1870. Elle est, de loin, la plus grande agglomération laborieuse du pays. A elle seule, un monde.

57 % des Parisiens vivent d'activités industrielles, 12 % d'activités commerciales. On a recensé en 1866 455 400 ouvriers et ouvrières, 120 600 employés, 140 000 patrons, 100 000 domestiques : plus du cinquième du peuple travailleur français. Le travail existe ici sous toutes ses formes : 23 % des actifs sont occupés dans le vêtement, 20 % dans les métiers d'art ou les « articles de Paris », 13 % dans le bâtiment, 8 % dans le travail des métaux. La petite industrie règne en maîtresse : plus de 60 % des « patrons » travaillent seuls ou avec un seul ouvrier. Mais à côté de minuscules échoppes, d'une foule d'ateliers petits et moyens, existent de solides fabriques de 50, 100, parfois 500 ouvriers : maisons d'orfèvrerie, de bronze, fabriques d'objets en métal. Deux usines de locomotives passent le millier d'ouvriers, Cail à Grenelle, Gouin à Batignolles ; les ateliers du Chemin de fer du Nord à La Chapelle sont, depuis 1848, une forteresse métallurgique. Des entrepreneurs de toute taille font travailler à domicile la main-d'œuvre dispersée du vêtement, majoritairement féminine, de la chaussure, du meuble ; maisons de confection, grands magasins font une rude concurrence à l'artisan indépendant : Godillot est roi parisien du soulier. Il y a, tout en bas de l'échelle, le journalier au travail incertain, tout en haut l'ouvrier artiste. Il y a l'ouvrier de vieille souche parisienne, l'ouvrier récemment immigré. Chaque métier a sa couleur et ses lieux propres : ébénistes du Faubourg Saint-Antoine, bronziers de Popincourt, tanneurs du XIIIe arrondissement, raffineurs et bouchers aux abattoirs de La Villette, mécaniciens du XIe, ouvriers du quartier si bien nommé des Arts-et-Métiers. Cette étonnante diversité fait aussi une remarquable unité ; il s'est forgé comme une « nationalité » ouvrière parisienne.

Aucun des prolétariats français n'est plus mûr, plus combatif que celui de Paris. Comme ailleurs, les grèves ont culminé dans les deux dernières années de l'Empire : fin 1869, celles des mégissiers (un millier de grévistes), des doreurs sur bois, des employés des grands magasins (plus de 10 000) ; en mai-juin 1870, des raffineurs, puis grève totale des fondeurs en fer. La

Chambre fédérale des Sociétés ouvrières parisiennes (60 sociétés, une trentaine de milliers d'adhérents) est étroitement liée à l'AIT. Celle-ci commence, depuis le début de 1870, à quadriller les quartiers populaires de cercles et sections réunis à leur tour, en mars, en une Fédération.

Sans s'y perdre, cette classe ouvrière parisienne, vigoureuse, originale, se fond étroitement encore dans le peuple laborieux, où la rejoignent salariés de toutes sortes, exploités sous toutes formes, marginaux, employés, petits artisans ou boutiquiers, ces derniers constituant cette couche qu'on a fort bien nommée de « bourgeoisie populaire » (A. Daumard).

Après une décennie de sévère paupérisation, dans les années 1850, la condition populaire s'est sensiblement améliorée. Depuis 1860, les salaires sont à la hausse, le travail marche fort. La « prospérité impériale » a eu ici une contrepartie singulière. Dans les quartiers centraux, le Paris de 1830 ou 1848, riches et pauvres vivaient sinon côte à côte, du moins en proximité réelle, dans les mêmes maisons, les mêmes rues. L'accroissement de la population, les démolitions dues aux travaux d'Haussmann, la cherté des loyers, ont contribué à chasser de ce Paris central le peuple travailleur, le refoulant en périphérie, dans les communes de banlieues annexées en 1860, au nord, à l'est et au sud : Batignolles, Montmartre, La Chapelle, La Villette, Belleville, rive droite ; Bercy, Ivry, Montrouge, Grenelle, Vaugirard, rive gauche. Les antagonismes sociaux sont inscrits dans la géographie même de la capitale. Il existe deux villes dans la Ville : à l'ouest et au centre, celle des riches, beaux quartiers des Ier, VIIe, VIIIe, XVIe arrondissements ; autour, l'enserrant comme en une tenaille qui irait des Ternes à Grenelle, poussant une avancée dans les Xe et XIe, IIIe et IVe, le Paris populaire, la ville des déshérités.

La Ville est domptée, domestiquée, privée depuis 1851 de tous droits municipaux. Elle est gouvernée, de main magistrale, par deux fonctionnaires, le préfet de police, Pietri, et surtout, jusqu'en 1869, vrai « ministre de Paris », le préfet de la Seine, Haussmann. C'est qu'elle est toute ou à peu près de contestation radicale du régime. Aux élections de 1869, pour neuf sièges à pourvoir dans la Seine, ont été désignés huit républicains ; le neuvième élu est Thiers, « libéral », qu'on a laissé nommer par les beaux quartiers de l'ouest, difficilement d'ailleurs. Sur les Aventins populaires de Belleville et Montmartre, Gambetta a remporté un triomphe (62 % des votants), osant battre de surcroît un républicain modéré, le quarant'huitard Carnot. Dans l'ensemble du département, la République recueille 69 % des voix. Au plébiscite de mai, Paris a dit encore clairement son refus : 156 765 non, 110 409 oui. Les oui l'ont emporté, de peu, dans les beaux quartiers ; mais les non sont 76 % à Belleville, 70 % dans les XIe, XVIIIe, XIIe... Dans les réunions publiques, tolérées depuis juin 1868, les orateurs révolutionnaires appellent à pleine voix au renversement de l'Empire. On a dressé des barricades à Belleville les 6 et 7 juin 1869. Le 12 janvier 1870, après l'assassinat par le prince Pierre Bonaparte de Victor Noir, journaliste à *La Marseillaise,* 100, peut-être 200 000 personnes ont fait de ses funérailles une immense manifestation. « Nous espérions bien ne rentrer qu'avec la République », écrit Louise Michel.

La République des Villes. — On ne saurait plus, en ces années, avoir les yeux fixés seulement sur la capitale. La contestation radicale du régime, c'est aussi, c'est tout autant le fait des villes de province.

Aucune agglomération n'approche Paris par le nombre des habitants. Mais presque toutes ont vu, pendant la période impériale, croître leurs activités et leur population, vigoureusement. Lyon, qui a, lui aussi, annexé ses faubourgs, passe de 180 000 habitants en 1851 à plus de 300 000 en 1870 ; Marseille de 200 à 300 000 ; Bordeaux de 130 à 200 000. La population de Lille a doublé (160 000 habitants en 1870), comme celle de Saint-Étienne (100 000). Toulouse, Nantes, Rouen atteignent ou dépassent les 100 000. Ici encore de grands travaux de rénovation : à Lyon avec le préfet Vaïsse, à Marseille avec Maupas ; ici aussi se dessine une ségrégation. Lyon avait sa vieille Croix-Rousse, soyeuse ; elle est flanquée désormais de quartiers aux industries neuves – chimie, gaz, constructions mécaniques, de la Guillotière et des Brotteaux. Marseille a son quartier rouge, joliment nommé la Belle-de-Mai.

Ces grandes cités, et de moindres, dans le Midi, le Centre, la vallée du Rhône, le Sud-Ouest, sont de solides forteresses républicaines. En 1869, à Lyon, le total des voix qui vont à la République a été de 77 %, mieux qu'à Paris ; et on a préféré ici encore des républicains affirmés à des modérés : Bancel (58 %) a battu Hénon ; le socialiste Raspail (54 %) l'a emporté sur Jules Favre. Comme Belleville, la première circonscription de Marseille a choisi Gambetta qui bat – au second tour il est vrai et avec le désistement complice de Thiers – l'officiel de Lesseps, par 65 % des voix, l'année de l'inauguration du canal de Suez ! Bordeaux a élu Jules Simon, Saint-Étienne le populaire maître de forges Dorian (63 % des votants). A Limoges, 78 % des votes vont à l'opposition, dont 59 % aux vrais républicains...

République des villes : ceci, bien sûr, demande à être nuancé. Le fait est d'abord méridional, encore que Nîmes, Avignon, soient de longue tradition légitimistes, tandis que de petites villes industrielles comme Mazamet ou Lavelanet, Commentry ou Montluçon, votent bonapartiste. Parfois le vote républicain de la ville est annulé par une habile adjonction à la circonscription urbaine de cantons ruraux : c'est les cas à Toulouse où le radical Duportal l'emporte dans la cité mais est battu par le libéral Paul de Rémusat ; de Nantes où le « bon docteur » Guépin devance, de très loin, le candidat officiel dans la ville (11 500 voix contre 5 000), mais perd, de peu, le siège (14 000 contre 16 800). Au nord de la Loire, la République a, semble-t-il, moins de vigueur. A Rouen, Desseaux ne l'a emporté que d'une courte tête (50,7 %) sur le conservateur Pouyer-Quertier. Saint-Quentin est républicaine mais Reims n'est que libérale. Lille vote libéral, mais Roubaix ouvrier est bonapartiste...

Au plébiscite de mai 1870, c'est, parmi les grandes villes, Saint-Étienne qui est la capitale du non (74 %), devançant Marseille ou Limoges (65 %), Bordeaux (64 %), Lyon (60,6 %), qui à leur tour distancent Paris (57 %).

Vigueur des tensions sociales. C'est à Rouen, à l'impulsion d'É. Aubry, qu'est née, fin 1868, la première Chambre fédérale ouvrière : Paris ne s'est donné la sienne qu'en décembre 1869. C'est à Lyon, « capitale du socialisme » (Benoît Malon), que s'est tenue, le 15 mars 1870, la première grande réunion unitaire, presque un congrès, de 5 000 membres de l'Internationale française. Dans la région lyonnaise, jusqu'à l'Isère, la vague des grèves de 1868-1870 a été sensiblement plus forte qu'à Paris.

La floraison de journaux locaux d'opposition, principalement républicains, lus et influents, témoigne de la vie politique intense des cités provinciales. Marseille a *Le Peuple* et *L'Égalité*, Lyon *La Discussion* et surtout *Le Progrès ;* Rouen, Lille ont chacune leur *Progrès* ; Nantes a *Le Phare de la Loire,* qui existe depuis 1852 ; Bordeaux a *La Gironde,* Toulouse *L'Émancipation,* interdite en 1851, qui renaît symboliquement le 14 juillet 1868. On n'en finirait pas d'énumérer : *L'Avenir de l'Ariège* (Foix), *L'Indépendant du Tarn* (Albi), *Le Républicain de l'Allier* (Moulins), *Le Progrès de la Côte-d'Or* (Dijon), *Le Réveil,* de Grenoble...

Chaque cité a son tempérament politique propre. Chacune a ses activités, ses structures sociales originales. Lyon, qui se modernise, connaît toujours la vieille hiérarchie des compagnons, canuts, marchands-fabricants, avec, au sommet, une haute bourgeoisie soyeuse, nantie et fermée. Marseille a un prolétariat de matelots et d'ouvriers du port, et ses « portefaix », caste professionnelle privilégiée. Toulouse, peu industrielle, sauf en son faubourg Saint-Cyprien, est la capitale ensommeillée d'une région aquitaine qui entame son déclin. Chacune a ses traditions : Lyon, cité des insurrections ouvrières de 1831 et 1834, premières « défaites du prolétariat français » ; elle se souvient aussi qu'elle fut l'une des capitales de l'insurrection fédéraliste de juin-octobre 1793, avec Bordeaux, Rouen, contre Paris ; et, naguère, l'épicentre en 1850 du complot montagnard du Sud-Est. Les Marseillais n'ont pas oublié le 10 août 1792, leur montée à Paris, la Commune insurrectionnelle.

Tandis que dans la capitale une classe ouvrière variée, mais massive, constitue le noyau dur du Peuple, le « levain de la pâte », les travailleurs des cités provinciales semblent socialement et politiquement moins émancipés ; ils restent davantage dépendants d'une petite et moyenne bourgeoisie, radicale souvent, plus soucieuse des problèmes politiques que de la question sociale.

Ces villes supportent avec toujours plus d'impatience la tutelle du pouvoir central. Lyon n'a plus, depuis 1852, de municipalité élue ; l'existence de la mairie de Marseille est menacée à la fin de l'Empire. Partout les préfets tiennent serrées les brides aux conseils municipaux et aux maires, nommés. La revendication monte de l'autonomie, des libertés, des franchises municipales, voire départementales, régionales. En 1865, des Nancéens, libéraux et légitimistes, ont formulé un *Projet de décentralisation* : « Fortifier la commune qui chez nous existe à peine..., émanciper le département. » Certains républicains y ont donné leur aval, Eugène Pelletan, Jules Ferry, qui s'est fait élire en 1869 à Paris sur un programme de « destructions nécessaires » : « La France a besoin d'un gouvernement faible. » Gambetta lui-même, bien moins féru de décentralisation, a évoqué devant les Marseillais les « traditions, (les) mœurs autonomes » de leur ville, New York d'une France régénérée.

Aux élections municipales des 6-7 août 1870, plusieurs cités se sont donné des municipalités d'opposition, ou républicaines : Marseille, Toulouse (mais non Rouen), Nantes, Le Havre, Saint-Étienne.... comme nombre de villes et bourgs du nord du Massif central, autour de Limoges, du Centre, du Midi aquitain et méditerranéen...

La Révolution domptée? — Mais ces villes ne sont que des îles dans un océan de campagne. La « province », en 1870, c'est celle des ruraux, assise de granit du régime.

86% des Français habitent des agglomérations de moins de 3 000 habitants, 52% vivent du travail de la terre. C'est des campagnes, sauf quelques départements de la vallée du Rhône, jusqu'au Jura et à la Côte-d'Or vigneronne, qu'est montée l'immense majorité des oui de mai 1870. Le bonapartisme est populaire au village; l'Empire a été une belle période: les récoltes se vendaient bien, les revenus haussaient, l'exode rural décongestionnait les campagnes. Ajoutons la poigne habile des préfets et, puissante dans tant de régions, l'influence de l'Église. Les paysans tiennent la ville en suspicion. Ils craignent les socialistes partageux, alors que le premier Bonaparte leur a, croient-ils, donné la terre, dont le second leur garantit la possession. Ils n'aiment pas plus les « Messieurs », souvent leurs maîtres, propriétaires ou usuriers. A l'inverse, l'homme des villes (et plus que tout autre le prolétaire de souche rurale récente) méprise celui des campagnes, grossier, superstitieux, servile...

Un Empire rajeuni, bien installé sur ses bases rurales : dira-t-on qu'on est en situation « prérévolutionnaire »? Les extrémistes pressés, Émile Ollivier, qui s'est promis de « prendre la Révolution à bras le corps », les dompte sans peine, mêlant habilement répression et provocation, inventant des complots pour les mieux réprimer. Le 30 avril 1870, il a donné ordre de procéder à l'arrestation de « tous les individus qui constituent l'Internationale » : il faut en finir avec le spectre rouge. Le mouvement ouvrier est sévèrement atteint, à Paris surtout où les dirigeants sont condamnés, le 8 juillet 1870, à de lourdes peines, en dépit de la belle défense du bijoutier Combault :

« Les prolétaires sont las... Ils sont las d'être les victimes du parasitisme, de se sentir condamnés à un travail sans espoir....

las de ne ramasser que les miettes d'un banquet dont ils font tous les frais... »

Les simples républicains méditent leur défaite de mai 1870 ; le suffrage universel s'est révélé décevant, menteur. Il faudra attendre, pensent-ils, une génération au moins, œuvrer par l'éducation et la propagande. A ses électeurs bellevillois, Gambetta recommande la patience :

« L'irréconciliable est celui qui n'a recours ni à l'émeute, ni aux complots... Si Paris donnait l'exemple d'une démocratie disciplinée.., écoutant les conseils de ses chefs, répudiant toute anarchie..., la confiance en nous renaîtrait... »

Le 4 septembre. — Cependant l'Empire, fragilisé, n'en a plus que pour quelques mois. Ce n'est pas de la crise, surmontée, qu'il meurt. Il y faut le vent tempétueux de la guerre, imprudemment engagée le 19 juillet contre la Prusse.

Le 4 août, défaite à Wissembourg, le 6 à Forbach, Froeschwiller : la frontière est forcée. Le 16 août Mars-la-Tour, le 18 Gravelotte ; l'armée de l'Est, 100 000 hommes commandés par Bazaine, est bloquée dans Metz. Sous les ordres de Mac-Mahon, accompagnée par l'empereur, une armée hâtivement formée au camp de Châlons tente de se porter à son secours. Le 2 septembre, c'est le désastre de Sedan : 3 000 morts, 14 000 blessés, et la capitulation, 83 000 prisonniers, dont 39 généraux, et l'empereur.

Le Paris populaire avait accueilli la guerre avec un enthousiasme presque chauvin. La nouvelle des défaites le stupéfie. Le 9 août, une manifestation, place de la Concorde, organisée par quelques militants de l'Internationale, tourne court. Le 14, des blanquistes ont tenté de s'emparer de la caserne de pompiers de La Villette, cherchant des armes pour soulever le Faubourg Saint-Antoine. Coup de main maladroit ; il ne fait que la preuve que le temps des complots insurrectionnels est fini.

Le 3 septembre au soir, la nouvelle de Sedan atteint la capitale. Le dimanche 4, la foule, bourgeois, peuple mêlés, s'ameute devant le Palais-Bourbon ; elle y pénètre vers 14 heures, exigeant la déchéance de l'Empire et la République. Des blanquistes ont cherché à prendre la tête du mouvement, mais c'est le poids du nombre populaire qui a compté.

Au Corps législatif, les chefs républicains ont tergiversé, peu tentés qu'ils sont d'endosser l'héritage d'une guerre désastreuse. Ils ne voudraient pas d'une République imposée par la seule émeute parisienne : le pays suivrait-il ? Soucieux de légalité, ils cherchent des compromis : un gouvernement provisoire formé mi-partie de membres de la majorité libérale, mi-partie de républicains, avec – elle serait déterminante – la participation de Thiers. Celui-ci se dérobe.

Il faut en passer par ce qu'exige la foule ; Gambetta proclame la déchéance de l'Empire « attendu que la Patrie est en danger ». La République, sur proposition de Jules Favre, c'est, comme lors de toutes les révolutions parisiennes, à l'Hôtel de Ville qu'on va la proclamer. Quelques « révolutionnaires purs », Félix Pyat, Millière, Gustave Lefrançais, attendaient là, pensant que le Peuple allait les acclamer. Il leur préfère un gouvernement de Défense nationale, formé par les députés de Paris : Favre, qui prend les Affaires étrangères, Ferry, Garnier-Pagès, Glais-Bizoin, Étienne Arago, choisi comme maire de la Ville, Rochefort, qu'on tire de prison. Mais aussi Gambetta, qui avait opté pour Marseille, à l'Intérieur ; Jules Simon, de Bordeaux, à l'Instruction publique ; Dorian, de Saint-Étienne, aux Travaux publics. Pour donner au gouvernement un semblant d'équilibre, la présidence est attribuée au général Trochu, gouverneur de la capitale, « soldat, catholique et breton », un brin orléaniste. La nouvelle équipe précise aussitôt :

« Nous ne sommes pas le gouvernement d'un parti, nous sommes le gouvernement de la Défense... Aujourd'hui comme en 92, le nom de République veut dire union intime de l'armée et du Peuple pour la défense de la Patrie. »

Étonnante journée ! « Il y avait des fleurs aux fusils, des guirlandes ; c'était un air de fête dans la cité. Jamais révolution ne se fit avec une telle douceur... On criait beaucoup, mais c'était dans une note moyenne » (J. Ferry). Révolution à demi-voix. Nul, notable, bourgeois, soldat, qui se soit levé pour défendre un Empire, la veille si fort, qui s'effondrait, dit un témoin, « comme une masse fragile et friable dont les dehors sont brillants et l'intérieur fait de cendres ». La défaite a tout effacé. Simple « constat de décès » ? « Révolution du mépris », pour reprendre le mot de 1848 ? On était en République, et, comme en février 1848, sa proclamation n'ouvrait-elle pas, une nouvelle fois, le temps de tous les possibles, de toutes les espérances populaires ? On était surtout en guerre.

Chapitre II

EN UN COMBAT DOUTEUX : DU 4 SEPTEMBRE A LA CAPITULATION DE PARIS

Ce n'est pas une route directe, un cheminement irrésistible qui conduit de la Révolution du 4 septembre à celle du 18 mars : il y faudra plus d'un détour. Et ce n'est sans doute pas ce qui se passe alors dans la capitale qui est le plus décisif.

I. — Paris, « soixante-dix-huit ans après »

L'impossible paix. — La République, cette « sublime imprudence », installée, c'est de paix qu'on parla. La France à Sedan n'avait perdu qu'une bataille, l'empereur n'avait rendu que son épée. De paix, le nouveau gouvernement avait besoin pour s'affermir ; il n'était pas responsable de la guerre : « La dynastie est à terre... La France libre se lève. » Paix, à la condition qu'elle fût honorable : « Nous ne céderons ni un pouce de notre territoire, ni une pierre de nos forteresses » (6 septembre). C'est la paix que Hugo, rentré d'exil le 5, réclamait dans sa *Lettre aux Allemands* : « Pourquoi cette invasion pourquoi cet effort sauvage contre un peuple frère ? Arrêtez-vous, vous recommenceriez Attila et Alaric... » C'est la paix que, le soir du 4, demandaient les internationaux, en appelant « A la démocratie socialiste de la Nation allemande », aux accents retrouvés de la Grande Révolution :

« Tu ne fais la guerre qu'à l'Empereur et point à la nation française... Nous te répétons ce que nous déclarions à l'Europe coalisée en 1793 : le peuple français ne fait point la paix avec un ennemi qui occupe son territoire ; (il) est l'ami de tous les peuples libres... Proclamons la Liberté, l'Égalité et la Fraternité des Peuples. Par notre alliance, fondons les États-Unis d'Europe... »

Mais l'avance allemande continuait, foudroyante ; l'ennemi atteignait la Seine le 13, achevait le 19 le blocus de Paris. Ce même jour, Jules Favre partait rencontrer Bismarck à Ferrières, pour examiner la possibilité de « la cessation d'une guerre qui n'a plus d'objet ». Le chancelier de fer voulait l'Alsace, une partie de la Lorraine, une indemnité de guerre de cinq milliards. Raillant la « clique socialiste » au pouvoir, il menaçait de ramener Napoléon III dans ses fourgons. Conditions déshonorantes ! Il allait falloir assumer la poursuite d'une guerre plus qu'à demi perdue.

La Patrie et la République. — Toute une historiographie, reprenant les arguments qui furent en 1870 ceux de la fraction extrême du parti républicain, accable ceux qu'elle ne désigne que comme le « gouvernement des Jules » (H. Guillemin). Dès « Ferrières-en-Tapinois », les membres du gouvernement – Gambetta excepté – n'auraient eu d'autre pensée que de capituler. Seule la résolution du Paris populaire les en aurait empêchés.

Il est vrai que les militaires de métier, Trochu, le ministre de la Guerre Le Flô (mais non les généraux Ducrot et Vinoy, commandant les deux corps d'armée de Paris), se montraient plus que sceptiques sur la possibilité d'une issue heureuse des combats. Trochu qualifia, mais après coup, la poursuite de la résistance d'« héroïque folie ». Les « Jules », Favre, Ferry, Simon, étaient des républicains modérés : s'ensuit-il qu'ils fussent immodérément défaitistes ? Une paix humiliante risquait de condamner la République. Et on ne peut faire litière de leurs convictions qui s'enracinaient dans le souvenir de la Révolution, quand Patrie et République étaient indissolublement mêlées.

Paris se jeta dans la guerre. Les hommes ne manquaient pas ; 50 000 soldats, 7 000 marins, 15 000 canonniers et sapeurs, troupes régulières convenablement entraînées, constituaient un solide noyau. A quoi s'ajoutaient 90 bataillons de la Garde nationale *mobile,* 100 000 hommes environ, portion du contingent qui n'avait effectué qu'un service réduit et reçu une instruction rudimentaire. Venait enfin la Garde nationale *sédentaire,* Garde nationale proprement dite, comprenant les hommes valides non mobilisés de vingt à quarante ans : 60 bataillons existaient à Paris avant le 4 septembre. C'est cette milice citoyenne que la République décida de lever « en masse », portant son effectif à 260 bataillons, 300 000 hommes. Les gardes recevaient une solde de trente sous par jour, plus quinze pour la femme, cinq par enfant : modeste ressource, essentielle en un moment où tout travail cessait.

Massivement dressé, solidement fortifié, « Paris est inexpugnable ». Une délégation du gouvernement, composée de Crémieux, Glais-Bizoin, l'amiral Fourichon, ministre de la Marine – elle sera rejointe le 11 octobre par Gambetta –, partait à la mi-septembre pour Tours. Elle lèverait des armées qui viendraient débloquer la capitale, dont les forces sortiraient « torrentiellement » à leur rencontre. Le 21 septembre, Gambetta saluait l'anniversaire de la proclamation de la première République :

> « Il y a soixante-dix-huit ans à pareil jour, nos pères fondaient la République et se juraient à eux-mêmes en face de l'étranger qui souillait le sol de la Patrie de vivre libres ou de mourir en combattant... Honorons aujourd'hui nos pères, et demain sachons comme eux forcer la victoire... »

Le Comité central des Vingt arrondissements. — République et Patrie. Les extrémistes les plus rouges s'étaient mis à l'unisson. Il n'y avait pas plus ardents patriotes que les fidèles de Blanqui. Celui-ci, le 21 fructidor 78 (7 septembre), lançait le premier numéro de *La Patrie en danger* ; il décrétait la trêve de la Révolution : « En présence de l'ennemi, plus de partis ni de nuances... » Même confiance en la jeune République chez les internationaux, qui nuançaient leur adhésion : il fallait aussi faire preuve de vigilance : un mot de 1793.

> « L'épouvantable guerre actuelle a pris une autre signification : elle est maintenant le duel à mort entre le monarchisme féodal et la démocratie républicaine... Nous ne négligeons pas pour autant les précautions contre la réaction épargnée et menaçante. Nous organisons en ce sens nos comités de vigilance dans tous les quartiers et nous poussons à la fondation de districts qui furent si utiles en 93. »

Rejoints par quelques républicains convaincus, les internationaux formèrent leurs comités. Chaque arrondissement eut sa petite administration, spontanément constituée. On était plutôt blanquiste dans le XIIIe, les Ier et Ve ; internationaliste dans les XVe et XVIIe, et dans le Centre-est (IIe, IVe, Xe, XIe et XIIe) ; jacobin à Montmartre et surtout à Belleville. Les comités prétendaient aider, quelquefois supplantaient dans leurs attributions – police, ravitaillement, écoles – les municipalités régulières désignées le 6 septembre.

Puis chaque comité désigna deux de ses membres pour former un *Comité central de Défense nationale des Vingt arrondissements de Paris.* Celui-ci tint sa première réunion le 11 septembre, place de la Corderie-du-Temple. Le 14, il placardait une première affiche, demandait le remplacement de la police par la Garde nationale, l'élection et la responsabilité de la magistrature, l'organisation d'un rationnement égalitaire, « un contrôle populaire de toutes les mesures prises pour la défense..., la levée en masse et la réquisition de tout ce qui peut (lui) servir... »

On a parlé de « dualité des pouvoirs », comme dans la Russie de 1917. Le rapprochement n'est pas convaincant. Le Comité se voulait non concurrent mais auxiliaire du gouvernement, mobilisant, canalisant à son profit les initiatives populaires. Ses revendications s'axèrent bientôt sur la demande d'une municipalité de Paris, d'une « Commune », comme sous la Révolution.

« Le salut de la France et le triomphe de la révolution européenne dépendent de Paris. Le gouvernement pourrait être obligé de se transporter en province. La Commune doit vivre ou périr avec la capitale... » Il fallait une « Commune souveraine, opérant révolutionnairement la défaite de l'ennemi, ensuite facilitant l'harmonie des intérêts et le gouvernement direct des citoyens par eux-mêmes » (22 septembre).

C'est la première apparition du mot. La Commune ne serait pas un contre-gouvernement :

« Pour ce qui nous concerne, il n'a jamais été question de faire au gouvernement une opposition de parti pris... Nous prétendons uniquement mettre tous les habitants de Paris, qui combattent pour la défense de la grande cité, à même d'exercer leur imprescriptible droit municipal, conformément au plus simple et au plus naturel des principes républicains » (24 septembre).

Le gouvernement avait promis des élections municipales pour le 28 septembre, des élections générales pour le 16, puis le 2 octobre. Ministre de l'Intérieur, Gambetta eût accepté volontiers une municipalité parisienne, qu'il n'hésitait pas à désigner lui aussi du nom de Commune.

Premiers doutes. — Paris vivait dans une atmosphère d'extraordinaire liberté retrouvée, de parole, d'expression, de réunion. Les journaux se multipliaient ; trois grandes feuilles populaires parvinrent à durer : *La Patrie en danger,* jusqu'au début de décembre ; *Le Combat,* de Félix Pyat ; *Le Rappel.* Des clubs s'ouvraient dans les quartiers, émanation en général des comités de vigilance : clubs de la Cour des Miracles (IIe), de la rue d'Arras (V^e^), du Pré-aux Clercs (VIIe) ; les plus fréquentés étaient ceux des Batignolles, de la Reine-Blanche à Montmartre, de la salle Favié à Belleville. A l'ordre du jour, tantôt la Commune, tantôt la Défense. On exhortait le gouvernement à toujours plus d'audace, dans le rude parler sans-culotte retrouvé.

Le gouvernement acceptait mal ce défoulement brouillon d'ardeurs populaires volontiers excessives. Craignant – à juste titre – un revers dans le pays, il annulait l'élection d'une Constituante, repoussait du même coup, fin septembre, celle de la municipalité de Paris. La revendication d'une Commune se faisait pourtant toujours plus vive, du moins à la Corderie :

« La Commune est l'unité politique. L'État ou la Nation n'est que la réunion des communes de la France... Le principe de la liberté municipale n'est autre chose, au fond, que celui de l'inviolabilité individuelle... Jusqu'ici nous n'étions qu'une foule, nous serons enfin une cité » (8 octobre).

Il y avait là des accents fédéralistes, sans nul doute mal venus en un moment où la conduite de la guerre exigeait la centralisation la plus poussée des efforts.

Les défaites se succédaient : le 23 septembre, capitulation de Toul, le 29 de Strasbourg, deux tentatives de sortie échouaient, le 19 à Châtillon, le 30 à Choisy-le-Roi. Le gouvernement apparaissait comme inégal à sa tâche. Paris eut alors quelques frémissements de colère ; le 26 septembre, 140 chefs de bataillon manifestaient à l'Hôtel de Ville ; le 5 octobre, Flourens, à la tête des Tirailleurs de Belleville ; les 6-7 octobre, des blanquistes des XIIIe et XIVe arrondissements ; le 8, des membres de l'AIT. On réclamait la défense « à outrance » et des élections municipales, ou communales.

Le 31 octobre. — Ce n'était qu'une fraction de la population qui devenait hostile. Les commandants qui avaient entraîné leurs hommes à manifester furent désavoués par eux. A la mi-octobre, l'Internationale décidait de quitter le Comité des Vingt arrondissements ; elle entendait ne pas gaspiller ses forces dans d'inutiles démonstrations politiques, préférant reconstituer son organisation propre.

Le 27 octobre c'est, traîtresse, la capitulation de Bazaine à Metz : 106 000 hommes rendus, 6 000 officiers, 50 généraux. La France a perdu sa dernière armée régulière. Paris en sait la nouvelle le 30 ; il apprend en même temps l'échec d'une timide tentative de sortie sur Le Bourget (28-30 octobre) ; que Thiers enfin, de retour d'une tournée auprès des cours européennes, serait porteur de propositions de paix.

Le 31 octobre, une vague de mécontentement déferle sur la capitale. La journée n'eut rien cependant d'une insurrection. Tout se déroula dans une confusion extrême, qui révèle la faiblesse insigne du « parti » révolutionnaire.

Plusieurs mouvements s'enchevêtrent, sans jamais se mettre à l'unisson. Le matin, des délégations de la Garde nationale, peu nombreuses, se portent à l'Hôtel de Ville, pour questionner le gouvernement sur la désespérante nouvelle de Metz. Suivent les maires d'arrondissements : ils obtiennent la promesse de l'élection prochaine d'une municipalité de Paris. Le Comité de la Corderie siège toute la matinée : ses délégués arrivent au début de l'après-midi place de Grève, réclamant une Commune. Un peu avant 16 heures, Flourens, à la tête de 500 Bellevillois, force les portes de la Maison du Peuple. Le gouvernement est prisonnier d'une foule qui grandit.

Chaque faction a sa revendication propre. Flourens fait acclamer une liste en tête de laquelle il se place, où Ledru-Rollin et Louis Blanc côtoient Victor Hugo et le ministre Dorian : on formerait, semble-t-il, un Comité de Salut public. Pyat et Delescluze demandent « la déchéance du Provisoire, qui s'est nommé lui-même, et la constitution d'un nouveau gouvernement ». Ceux de la Corderie réclament l'élection d'une Commune de 120 membres, « chargée seulement des intérêts militaires de Paris ». Tard dans l'après-midi, à 18 heures, arrive Blanqui, qui tente de coordonner ou de provoquer des soulèvements dans divers arrondissements. Les Ier, Ve, XIIIe commencent à bouger ; dans le XIXe, Jules Vallès occupe la mairie ; dans le XXe, le peintre sur porcelaine Oudet institue un Comité provisoire révolutionnaire.

Ce qui n'a été qu'un indescriptible désordre s'apaise de lui-même. La place de Grève se dégarnit. J. Ferry, qui a pu s'éclipser à la faveur d'une bousculade, rassemble des mobiles bretons et quelques « bons » bataillons, réoccupe sans peine l'Hôtel de Ville, peu avant minuit, délivrant ses collègues. Tout s'achève sur un compromis : on laisse partir librement Blanqui, Flourens, Millière ; le gouvernement organisera des élections municipales immédiates.

Mouvement d'humeur, qui n'a jamais sérieusement menacé l'existence du gouvernement. Habilement, celui-ci fait procéder le 3 novembre à un plébiscite : « Le Peuple de Paris fait-il confiance au gouvernement de la Défense nationale ? » Il y a 323 373 oui, 53 584 non dans la population civile : éclatant désaveu des émeutiers. Un seul arrondissement, le XXe, a donné une courte majorité aux non : 9 635 pour 8 291 oui. Les 5 et 7, on procède à l'élection, non d'une Municipalité ou Commune de toute la ville, mais de vingt municipalités d'arrondissement. Les résultats sont un peu meilleurs pour les impatients. Le XXe s'est donné pour maire le jacobin Ranvier, pour adjoints Flourens, Millière, Lefrançais ; le XIXe choisit Delescluze. Le XIe sera administré par une équipe d'internationaux, sous la direction du radical Mottu. Le XVIIIe a désigné le jeune médecin Clemenceau, le IIIe Bonvalet, tous deux de bonne gauche.

Le XIIIe nomme trois adjoints blanquistes, les XIVe et XVe chacun trois adjoints socialistes ; l'international Benoît Malon est maire-adjoint du XVIIe.

II. — Provinciales, I

C'est par commodité habituelle qu'on a présenté d'abord le déroulement des événements à Paris. Dans le même temps se produisent, en province, des mouvements qui sont d'une autre ampleur.

La Commune de Lyon : 4 septembre 1870-1871. — Paris avait proclamé la République le 4 septembre en fin de soirée. Lyon l'avait fait, de son propre chef, dès 9 heures du matin. Tôt levée, la Révolution a arboré le drapeau rouge, installé à la mairie, place des Terreaux, un Comité de Salut public, de composition majoritairement ouvrière et artisane.

« On entendait se gouverner soi-même », dit un témoin, qui souligne l'existence d'« un désir très profond et très ardent dans toutes les classes de reconquérir les franchises communales. Et ce désir n'était pas seulement partagé par la classe ouvrière ; il l'était surtout par la bourgeoisie intelligente et laborieuse, et même par la finance et le haut commerce ».

Affirmer une telle unanimité lyonnaise est sûrement excessif. C'est bien cependant une Commune de Lyon qu'on installe, et celle-ci, à sa manière, est un prologue original à la Commune que Paris se donnera six mois plus tard.

Lyon accueille fraîchement l'arrivée, le 6 septembre, du commissaire extraordinaire, préfet du Rhône, dépêché par Gambetta, Challemel-Lacour. Tandis que le « citoyen-délégué Challemel » est prié de n'assurer, d'égal à égal, que la liaison entre le gouvernement local lyonnais et le gouvernement central provisoire, le Comité de Salut public « se réserve tout ce qui regarde la Commune ». Les mesures qu'il prend préfigurent, dépassent souvent celles que prendra la Commune de Paris. Administrateurs et magistrats sont révoqués. La ville aura sa justice, rendue par un Comité de Sûreté générale, sa police, assurée par des commissaires élus. Le soulèvement lyonnais s'était fait aux cris de « A bas les Jésuites ! » : le Comité décrète la « séparation révolutionnaire » de l'Église et de l'État, la suppression des congrégations, le séquestre de leurs biens. L'enseignement sera laïcisé. Impopulaire, l'octroi est supprimé : la ville trouvera ses ressources dans la confiscation des biens de ceux qui se sont dérobés à la Défense nationale, et la levée d'un impôt de 0,5 % sur toutes les valeurs, chaque citoyen ayant le devoir de déclarer sa fortune. Les objets d'une valeur inférieure à vingt francs engagés au Mont-de-piété seront restitués gratuitement. Un Comité révolutionnaire propre gouverne le quartier de la Guillotière, érigé en Commune autonome.

Peu après cette flambée, à demi insurrectionnelle, Lyon rentra dans la légalité. Le Comité de Salut public faisait place à un Conseil de la Commune, élu le 15 septembre. De composition plus « bourgeoise », celui-ci n'en fit pas moins montre d'un républicanisme affirmé, continuant sur la lancée de la conquête d'authentiques franchises. La seconde ville de France se donnait cette libre municipalité que l'Empire lui avait refusée, désignait comme maire Hénon, modéré, non pas modérément républicain. Plusieurs membres du premier Comité faisaient partie du nouveau Conseil. Ceux qui n'avaient pas été élus se constituaient en *Comité central fédératif,* qui se donnait pour tâche d'aider, et si nécessaire, de pousser de l'avant son successeur légal. Le Comité de Sûreté continuait de siéger rue Luizerne.

Le Conseil « se considérait comme étant l'autorité souveraine et absolue à Lyon ». Il organisait la « défense lyonnaise », appelant la mobile, armant la Garde nationale sédentaire, enrôlant cérémonieusement en place publique cinq légions de 2 500 volontaires du Rhône. Il levait un emprunt patriotique de dix millions. Le travail manquant désespérément, il mettait en place des chantiers nationaux : ceux-ci employaient en octobre 13 000 travailleurs, payés 3 F par jour.

Les choses n'allaient pas toujours facilement pour ce petit gouvernement de Lyon. Le préfet Challemel s'efforçait, non sans succès, de restaurer ses prérogatives. La garnison était commandée par l'incommode général Mazure. L'autorité était partagée de manière mal définie entre les membres de cette étrange troïka : la municipalité libre, un préfet jacobin, un général bougon. La Commune de Lyon allait cahin-caha quand se leva un petit vent de tempête.

Le 28 septembre. — Un noyau d'ardents, pour l'essentiel des membres de la section de l'AIT, trouvait qu'on allait trop mollement en besogne.

On a dit l'influence exercée sur eux par Bakounine. Le leader anarchiste, « pétrel des tempêtes », n'était pas loin en Suisse, poussant ses « frères et amis » à passer à l'action. Il prônait la nécessité d'un « soulèvement anarchique en ce sens qu'il doit se faire en dehors de toute tutelle officielle, de bas en haut, en déclarant partout hardiment la déchéance de l'État... ». Proclamer d'un coup la déchéance de l'État relevait d'une utopie aventurière que son vieil ennemi Marx ne s'est pas privé de moquer. Par certains côtés, le projet témoignait néanmoins d'une vision originale, réaliste de la situation. Ce n'était pas d'un Paris bloqué, acculé à la défensive qu'on pouvait attendre une direction de la guerre. C'était aux villes de province, méridionales surtout, libres de leurs mouvements, de prendre l'initiative. Il fallait y « déchaîner les mauvaises passions » populaires, « créer partout des Communes révolutionnaires qui feraient le salut de la France ».

Le révolutionnaire russe vint à Lyon le 15 septembre. Le 17, ses partisans créaient un *Comité de Salut de la France,* modèle pour les autres cités, qui trouva appui auprès de quelques bataillons de la Garde nationale des quartiers extérieurs, et des sans-travail des chantiers nationaux. Le Comité, allié au *Comité central fédératif,* faisait apposer, le 27, une véhémente proclamation :

« La machine administrative et gouvernementale de l'État, étant devenue impuissante, est abolie... Toutes les organisations municipales existantes sont cassées et remplacées par des Comités de Salut de la France qui exerceront tous les pouvoirs sous le contrôle immédiat du Peuple. Chaque comité de chef-lieu de département enverra deux délégués pour former la Convention révolutionnaire du Salut de la France... (Elle) se réunira immédiatement à l'Hôtel de Ville de Lyon, comme étant la seconde ville de France et la plus à portée de pourvoir énergiquement à la défense du pays... »

Les « anarchistes » lyonnais se mirent à l'œuvre. Une petite dizaine de milliers d'émeutiers manifestaient le 28 place des Terreaux. Vers midi, une centaine de conjurés s'emparaient de la Mairie, faisaient acclamer un Comité révolutionnaire provisoire, s'apprêtant au « renversement de tout ce qui existe ». Préfet, maire et général étaient captifs, tandis qu'on appelait à la rescousse la Croix-Rousse et la Guillotière, et qu'on désignait un « général en chef des armées fédératives et révolutionnaires du

Midi». A 18 h 30, les manifestants qui, fatigue ou indécision, se faisaient de plus en plus rares, étaient facilement dispersés par des bataillons de la Garde nationale, d'ailleurs de la Croix-Rousse ouvrière. Tout s'achevait à 19 heures, sans gloire pour Bakounine, un instant arrêté, et malmené.

Lyon avait déjà sa Commune, et n'avait pas voulu suivre les révoltés dans une inutile aventure. Ce qui ne fut qu'un moment de vertige profita en vérité au préfet qui put commencer à récupérer l'élan local : « Ne pouvant empêcher le mouvement, j'ai dû m'en emparer pour le diriger. » Dès les lendemains du 28, il s'attachait à démanteler les foyers d'agitation, Internationale, Comité fédératif, grignotait les pouvoirs de la municipalité pourtant bonne républicaine. Lyon conservait, avec un conseil municipal sagement radical, son titre de Commune, « première de France », jouissant de solides franchises. Cette situation originale va se prolonger plus ou moins, bien au-delà de mai 1871.

Marseille et le temps des ligues. — A partir du 4 septembre, un vent de liberté avait soufflé sur les villes du Centre et du Midi.

Dès les élections d'août, plusieurs s'étaient déjà donné des municipalités républicaines. Avec la disparition de l'administration bonapartiste (Gambetta avait limogé 85 préfets), nombre de villes acclamèrent spontanément des Conseils ou Comités municipaux républicains, souvent radicaux, s'attribuant de larges pouvoirs, exigeant, comme avait fait Lyon, les franchises municipales. Ces Conseils étaient eux-mêmes flanqués de clubs ou sociétés populaires qui les poussaient de l'avant. Ainsi à Grenoble, Montpellier, Toulon, Perpignan, Narbonne; dans le Centre, à Limoges, où deux sociétés républicaines s'opposaient, l'une modérée, l'autre ouvrière et rouge, à Saint-Étienne, au Creuzot dont l'ouvrier J.-B. Dumay s'était proclamé maire, à Dijon, Chalon-sur-Saône, Moulins, Mâcon, Vierzon... La France au nord de la Seine se trouva très tôt occupée par l'ennemi : Lille, Boulogne, Amiens, Saint-Quentin, Rouen... ne s'en étaient pas moins dotées un moment de Comités patriotes.

Nantes avait la société radicale de l'*Union démocratique,* concurrencée par un *Comité républicain* plus modéré. Dans le Sud-Ouest, autour de Toulouse (qui comptait huit clubs), c'étaient des Comités de Salut public qu'on avait acclamés, à Carcassonne, Auch, Foix, Pamiers, Varilhes...

A Marseille, contrairement à Lyon, c'est de Paris qu'on avait reçu la nouvelle de la proclamation de la République. Néanmoins, le mouvement populaire républicain s'y développa aussi de façon originale. Le Conseil municipal républicain modéré, élu en août, conservait l'administration de la ville, il était flanqué d'un Comité de Salut public, appuyé sur un corps de gardes civiques recrutés parmi les ouvriers du port, et sur les membres de la section de l'Internationale. L'effervescence populaire ne cessait de croître. Elle fut ici partagée par le commissaire extraordinaire délégué par Gambetta, Alphonse Esquiros, montagnard de 1850, arrivé le 7 septembre avec le titre d'administrateur supérieur du département des Bouches-du-Rhône. Municipalité et Comité de Salut public avaient fusionné, constituant une Commission départementale qui s'installait, avec son assentiment, à la Préfecture. Il s'agissait plus que des seules libertés municipales : le mouvement touchait l'ensemble du département. Puis on fit un nouveau pas en avant : le 18 septembre, Marseille, Lyon, Grenoble, Montpellier décidaient de concert la constitution d'une *Ligue du Midi pour la Défense nationale de la République,* dirigée par Esquiros. Elle recueillait les adhésions de quinze départements du Languedoc et de la vallée du Rhône, jusqu'à la Loire et la Haute-Loire : son siège était à Marseille.

« Nous considérons comme urgent, disait la Ligue le 18 septembre, de donner aux départements du Midi une liberté d'action entière pour l'organisation de la Défense nationale... Si Paris venait à succomber, il faudrait qu'il y ait encore une France... C'est une défense régionale et provençale que nous voulons former... » « Nous partirons en armes de Marseille, nous prêcherons sur nos pas la guerre sainte, nous exciterons les populations au combat; nous nous précipiterons comme une avalanche le long de la vallée du Rhône... » (26 septembre).

Projet parent, en somme, de celui formé au même moment par Bakounine, qui influençait aussi quelques militants internationaux marseillais. Il fallait mettre en branle les énergies provinciales à partir de la province elle-même. On a parlé d'autonomisme, de fédéralisme (L. Greenberg). C'est excessif, encore que la tentation en ait pu exister chez quelques-uns. Esquiros, les chefs de la Ligue s'en sont défendus :

« Ce que nous voulons, ce n'est pas former une association politique méridionale en dehors des autres régions de France. La République doit rester une et indivisible » (18 septembre). « Cette confédération méridionale n'est pas un état dans l'État. Le Midi ne se sépare pas du reste de la France et de Paris » (26 septembre). « La ligue ne constitue pas une œuvre... de sécession ou de séparatisme » (5 novembre).

La Ligue n'en tendait pas moins à s'émanciper d'une trop forte tutelle centrale. Elle était radicale, dans ses buts et ses moyens.

A son programme, une épuration sévère du personnel impérial, « la levée en masse » et la « suppression de l'armée active » « Un impôt sur la richesse réelle... Réquisition de trente millions... Réquisition de toutes armes, munitions et chevaux... Confiscation des propriétés... de tous ceux qui, traîtres à la Patrie, ont quitté au moment du danger le sol de la France », assortie bien sûr de celle des biens du clergé, de la séparation de l'Église et de l'État, de la laïcisation des écoles. « Réduction à un maximum de 2400 F du traitement de tous les fonctionnaires pendant la durée de la guerre. »

La décision, le pouvoir montaient de bas en haut, un contrôle populaire constant et vigilant devait s'exercer : la Ligue

« créera autour des administrations gouvernementales et des autorités municipales le contrôle et la surveillance de l'opinion publique éclairée par la libre discussion... (Elle) est une association républicaine indépendante basée sur le principe de la souveraineté du peuple » (5 novembre).

Début octobre, une Ligue du Sud-Ouest, moins audacieuse, d'allure plus jacobine (elle prônait une « dictature dans l'intérêt du Salut public »), s'esquissait autour de Toulouse. Il semble y avoir eu un projet de Ligue de l'Est, autour de Besançon. On parla d'une Ligue de l'Ouest : ce ne fut qu'une réunion de quelques préfets bretons.

Jacobin, « patriote de l'État » (Bakounine), Gambetta, lorsqu'il fut à Tours en charge de la Guerre, accueillit mal ces tentatives qu'il crut régionalistes. Il redoutait à bon droit un éparpillement des énergies, quand il fallait lier étroitement toutes les volontés patriotiques en un faisceau puissant. Le 13 octobre, c'était la rupture entre la Délégation de Tours et la Ligue du Midi. Esquiros était contraint le 16 à la démission, remplacé par Gent, un autre montagnard de 1850 (il avait été du « complot de Lyon »), d'abord à la tête de la Ligue, pour mieux contenir ses velléités « autonomistes », puis à la tête du département des Bouches-du-Rhône. La Ligue lançait le 25 octobre un dernier manifeste, donnant rendez-vous à Valence aux citoyens qu'elle avait mobilisés. On perd ensuite sa trace. La Ligue du Sud-Ouest publia pour sa part, le 22 novembre, un appel à la « résistance de toutes les Ligues solidarisées », mais ne donna plus d'autre signe de vie. Sur ce problème, essentiel, des Ligues méridionales, peu de recherches ont été faites à ce jour. On sait que le mouvement s'implanta fortement dans le département de l'Hérault, n'eut au contraire qu'une faible influence dans le Gard voisin. Le *Comité central fédératif* et la municipalité communale de Lyon y adhérèrent, ainsi que les municipalités de Grenoble, Toulon, Cannes, Nice. Toute évaluation exacte reste impossible de ce que furent son importance et sa portée.

III. — Hiver de la République, étiage de la Révolution

Pénombre en province. — Comme à Paris, la nouvelle de la capitulation de Metz provoqua de brefs mais violents sursauts dans les grandes villes. Grenoble manifestait le 30 ; Nîmes, Saint-Étienne, Toulouse, Brest eurent à leur tour leur 31 octobre. Les choses furent sérieuses à Marseille. A l'appel de la Commission départementale, la foule envahissait la Préfecture : bakouninistes et internationaux, comme à Lyon, en étaient. On prépara des élections communales. Après une maladroite fusillade qui opposa « civiques » et gardes nationaux, l'énergique Gent n'eut guère de peine à rétablir l'ordre.

A Lyon, le *Comité central fédératif* tentait de soulever la ville. Il était dissous le 6 novembre par Challemel-Lacour, qui mettait en « état de guerre » les départements de l'Ain, Ardèche, Drôme, Loire, Rhône, Saône-et-Loire, étendant substantiellement ses pouvoirs.

L'histoire de la province radicale révolutionnaire entre alors dans une espèce de pénombre, ou de léthargie. On note la tenue à Toulouse, le 21 janvier 1871, d'un congrès de journalistes républicains, représentant 19 journaux de 14 départements du Centre et du Midi : *La Dépêche du Midi* (récemment créée), *L'Émancipation de Toulouse, Le Progrès* de Lyon, *L'Égalité* et *Le Peuple* de Marseille, *La Liberté de l'Hérault et du Gard,* et surtout *Les Droits de l'Homme,* de Montpellier, journal de Jules Guesde, l'un des plus radicaux partisans d'une Défense méridionale... Au cas ou Paris devrait capituler (il est à la veille de le faire), on jurait de continuer la lutte et de forcer la victoire, par l'appel à la classe 51, la réquisition des fabriques d'armes... C'est là probablement un ultime prolongement de la Ligue du Sud-Ouest.

Ainsi que le note Lissagaray, « la province (celle des villes) avait pris la Défense et la République au sérieux ». Défense conjuguée de la Patrie, et, comme en 1849-1851, dans les mêmes régions méridionales, de la « bonne », de la « vraie » République, d'une

République réellement démocratique et sociale. Défense originale, populaire, indépendante de Paris. Ce ne fut pas du gré du jeune « dictateur de Tours ». Il ne voulut ou ne sut pas dériver à son profit ces énergies provinciales. Il exista en tout cas une vigoureuse démocratie urbaine méridionale qui s'exprima de diverses façons. S'agissant de Commune, d'autonomie municipale, la province avait bel et bien « devancé Paris » (J. Gaillard). De novembre 1870 à mars 1871, voire au-delà, nombre de villes, et d'abord Lyon, toujours « Commune », de cités du Centre, du Sud-Est, d'Aquitaine, continuèrent de vivre d'une liberté républicaine locale aussi intense qu'il leur était loisible, et possible.

Paris assiégé. — Dans Paris bloqué, la situation se faisait plus sombre avec l'hiver. Frimaire, nivôse, pluviôse, tout travail arrêté, la capitale est devenue une ville de *disoccupati* que distraient à peine les gardes au rempart ou les séances d'exercice militaire. L'enthousiasme patriotique s'est attiédi. Le blocus affame la ville, où le rationnement se fait « par la cherté ». Il faut toute la débrouillardise parisienne pour vivre de la maigre solde de garde national. Le taux de mortalité a doublé (57 ‰). Paris connaît des émeutes de la faim et du froid.

La Ville tenait bon, attendant sa délivrance par les armées que Gambetta s'efforçait fiévreusement de lever en province. Dès son arrivée à Tours, le 11 octobre, il avait déployé une énergie remarquable. On invoquait l'exemple de Lincoln, de la mobilisation des États du Nord pendant la guerre de Sécession : on oubliait qu'il y avait fallu au moins trois ans.

Une première armée de la Loire, sous d'Aurelle de Paladines, parvint à reprendre Orléans, le 14 novembre, mais ne put continuer sur Paris. La capitale faisait une vaine tentative de sortie en direction de la Marne, les 30 novembre-2 décembre. Une seconde armée de la Loire, sous Chanzy, contenait mal l'avance ennemie en direction du Mans. L'armée du Nord, sous Faidherbe, gardait libres encore les départements du Nord et du Pas-de-Calais, mais échouait à reprendre Amiens. L'armée de l'Est, sous Bourbaki, renforcée par 15 000 « chemises rouges » de Garibaldi, essayait de se porter au secours de Belfort qui résistait toujours. On n'obtenait nulle part de succès décisif.

Les organisations patriotes révolutionnaires mettaient de plus en plus vivement en cause, non sans injustice, la politique du gouvernement de la « défection nationale ». Leur audience restait limitée, 50, au mieux 60 000 Parisiens. Encore cette audience ne cesse-t-elle de décroître à partir de novembre. Les clubs se dépeuplent ; la Corderie s'agite, mais est en mal de programme et d'action ; l'Internationale est toujours divisée sur la politique à suivre, action immédiate ou reconstruction patiente. L'influence du « parti rouge » se rétrécit à quelques quartiers : Belleville, Batignolles, les XIIIe, XIVe arrondissements. Il s'efforçait d'y mettre sur pied, faute d'être nombreuses, des organisations solidement structurées, tel le *Club démocratique et socialiste du XIIIe*, qui groupait une centaine d'adhérents blanquistes triés sur le volet. Quelques feuilles révolutionnaires ne parvenaient pas à durer. *L'Œil de Marat, moniteur des XIXe et XXe arrondissements,* organe du Comité de vigilance de Belleville, n'eut que deux numéros, les 29 novembre et 2 décembre. *La Résistance,* émanant d'une *Ligue républicaine de Défense à outrance,* formée par le Comité des Vingt arrondissements, en avait douze, du 10 novembre au 19 décembre ; *La Lutte à outrance,* organe des internationaux du VIe, prenant sa suite, quatre, du 27 décembre au 18 janvier. *La République des travailleurs,* publiée par la Section internationale des Batignolles, parut six fois du 10 janvier au 4 février. Les temps se faisaient mornes pour les « à outrance ».

L'affiche rouge. — Le Comité de la Corderie, alors dominé par les blanquistes, tenta un mouvement, retentissant en apparence, dont l'écho réel fut à peu près nul. Dans la nuit du 5 au 6 janvier, il faisait placarder l'« affiche rouge » :

« Le gouvernement qui, le 4 septembre, s'est chargé de la défense nationale a-t-il rempli sa mission ? Non !... Le grand Peuple de 89 qui détruit les bastilles et renverse les trônes attendra-t-il, dans un désespoir inerte, que le froid et la famine aient glacé son cœur... ? La politique, la stratégie, l'administration du 4 septembre, continuées de l'Empire, sont jugées. *Place au Peuple, place à la Commune !* »

Les 140 signataires de ce texte révolutionnaire s'étaient constitués en « Délégation communale des Vingt arrondissements ». Entendons bien qu'il s'agissait cette fois de la proclamation d'un contre-gouvernement, dont les membres avaient été désignés par ce qu'il restait de comités de vigilance. La Délégation offrait de se substituer au gouvernement de la Défaite ; elle serait une Commune qui saurait tout sauver. Dérisoire coup d'épée dans l'eau : des Parisiens appelés à une insurrection salvatrice, aucun ne bougea.

Après l'échec meurtrier d'une ultime tentative pour forcer le blocus en direction de l'Ouest, à Buzenval (19 janvier) où l'on fit donner pour la première fois une Garde nationale mal préparée, Paris eut un dernier accès de colère, le 22 janvier. Une poignée d'internationaux des Batignolles, entraînés par E. Varlin et B. Malon, quelques révolutionnaires du XVIIIe, parmi lesquels on vit Louise Michel, quelque 200 gardes du très blanquiste 101e bataillon, du XIIIe, marchèrent sur l'Hôtel de Ville aux cris de « La Déchéance ! Vive la Commune ! ». Delescluze, Blanqui étaient là. Un coup de feu malencontreux parti des rangs des insurgés provoqua une riposte des mobiles bretons : la Révolution avait ses premiers morts. Incident tragique qui ne sera pas oublié : le républicain Gustave Chaudey, qui commandait l'Hôtel de Ville, accusé d'avoir ordonné de tirer sur la foule, le paiera, otage de la Commune, de sa vie, le 23 mai.

La Révolution avait de toute évidence des cadres : non moins évidemment, elle n'avait pas ou plus guère de troupes. Le blocus s'éternisait : 135 jours ; depuis le 5 janvier, les obus prussiens tombaient dru sur la capitale. Paris restait stoïquement « inexpugnable ». En dépit des efforts de Gambetta, replié à Bordeaux, la situation militaire se révélait désespérée, après les échecs, le 12 janvier, de la seconde armée de la Loire devant Le Mans ; de celle de l'Est, quelques jours plus tard, à Héricourt ; de celle du Nord, le 19, à Saint-Quentin. La guerre était perdue. La capitale n'en voulait rien voir, et continuait d'espérer contre toute espérance.

Chapitre III

LA RÉVOLTE DE PARIS

I. — « Cette paix hideuse entre toutes »

On avait souvent, beaucoup, pendant le Siège, parlé de Commune à Paris. Le mot, diversement interprété, n'était le cri de ralliement que d'une poignée d'extrémistes. La population gardait sa confiance au gouvernement républicain qu'elle s'était donné.

La capitulation. — Le 28 janvier, tomba comme une foudre la nouvelle que le gouvernement demandait l'armistice. Le tournant est décisif, comme le dit, le 10 mars, l'architecte Georges Arnold, fondateur de la Fédération de la Garde nationale :

« Il a fallu que les dernières illusions s'évanouissent... Il a fallu voir Paris, ce héros, ce martyr, conspué, calomnié par les infâmes qui, de tout temps, ont méprisé les peuples ; il a fallu cette paix honteuse et hideuse entre toutes... pour que cette population, disposée à une confiance aussi candide, s'aperçût enfin qu'elle n'avait plus à compter que sur elle-même pour assurer son honneur et sa liberté. »

Capitulation, les conditions en étaient draconiennes ; cessation des hostilités sur tous les fronts : on livrait la capitale, mais aussi la France. L'Allemagne ne traiterait qu'avec un gouvernement régulier, issu d'une Assemblée élue. Paris était spécialement meurtri : il devait céder ses forts, ne conservait qu'une garnison de 12 000 hommes. Toutefois on laissait ses armes à la Garde nationale : Favre avait obtenu cette concession, dont il dira plus tard se repentir amèrement. L'armistice était conclu pour vingt et un jours. Il sera prolongé d'une semaine.

Il y eut de multiples protestations, de dizaines de bataillons de la Garde, hommes et officiers, de mobiles, de marins artilleurs. Puis commença, lent et sourd, le travail du deuil. D'abord une stupeur morne, puis la colère.

Les élections du 8 février. — On procéda à l'élection d'une Assemblée nationale, le 8 février. Une chambre introuvable sortit du scrutin : « Majorité rurale, honte de la France », ce fut le cri de l'avocat Gustave Crémieux, qui avait été de toutes les manifestations marseillaises, le 12 février, jour de la première séance au Théâtre de Bordeaux.

Il n'y eut pas, ou peu de campagne ; les listes départementales de candidats étaient d'une complexité à se perdre. On chiffre mal, faute de procès-verbaux, les abstentions : elles furent sans doute considérables.

On ne considérera pas le scrutin, comme on fait parfois, comme « dénué de toute signification politique ». On votait pour, ou contre la paix, mais aussi bien pour ou contre la liberté : entendons le refus (ou non) de la « dictature » républicaine, du système autoritaire qu'imposait la guerre. De ce point de vue, ce fut le triomphe d'une *Union libérale* patronnée par Thiers, élu de 26 départements, un échec pour la République de Gambetta, élu néanmoins dans 8 départements. Des républicains modérés avaient fréquemment passé alliance avec les libéraux de la nuance Thiers.

L'Assemblée compta environ 360 monarchistes, mi-royalistes vrais, mi-conservateurs indécis, une quinzaine de bonapartistes, contre 150 républicains « de principe », dont tout au plus une quarantaine de radicaux gambettistes.

Les campagnes avaient fait la décision. La marée de leurs votes noya « la partie intelligente et virile des grandes villes ». Dans le Nord, la Normandie, l'Aquitaine, passent des listes conduites par Thiers ou Trochu ; ce dernier mène également à la victoire les monarchistes bretons. Dans la région parisienne l'emporte l'union des libéraux thiéristes et des républicains modérés. La « bonne » République n'a, comme toujours, de forces réelles que dans l'axe rhodanien, jusqu'à la Côte-d'Or (où sont élus Garibaldi et le futur membre de la Commune Gustave Tridon), et dans le Midi méditerranéen.

La situation n'a que peu évolué depuis 1869. Les républicains n'ont pas gagné en espace ; ils ont approfondi leurs positions méridionales. Les villes encore une fois ont voté républicain prononcé : Bordeaux, Lille, Nantes, Rennes ; souvent radical : Marseille, Grenoble, Dijon, Saint-Étienne, Toulouse, Limoges... Lyon a donné une forte majorité à une liste conduite par Gambetta et Garibaldi ; le reste du département fait passer la liste républicaine modérée de Jules Favre.

Paris (328 970 votants avec le département de la Seine) a plébiscité cinq grands noms républicains : Louis Blanc, Hugo, Garibaldi, Gambetta, Edgar Quinet avec 200 000 voix ou plus. Grâce aux voix des quartiers populaires passent les radicaux E. Lockroy, Ranc, avec environ 130 000 voix ; les anciens proscrits Martin Bernard, Marc Dufraisse, Greppo, tous autour de 100 000, Clemenceau, l'international Tolain, l'antique Ledru-Rollin. Les voix des beaux quartiers avaient permis l'élection de Thiers (103 206 voix), de J. Favre (81 722 voix que ses ennemis prétendent douteuses), seul membre du gouvernement de la Défense qui eût osé se présenter à Paris. Mais là même, dans les XVIe, VIIIe, VIIe, les électeurs avaient placé en tête les amiraux patriotes qui avaient commandé les marins du Siège, Saisset, Pothuau. Tout le reste est républicain. Sept rouges authentiques étaient élus : Rochefort, Delescluze, Pyat, Malon, les jacobins Cournet et Razoua, le socialiste Millière ; ceux-là le devaient à une popularité personnelle, ou au hasard de leur présence sur plusieurs listes hâtivement construites. Les « révolutionnaires » n'atteignaient en moyenne que la cinquantaine de milliers de voix, que Blanqui ne passait que de justesse. Les « impatients » n'avaient réalisé aucun progrès depuis les élections municipales des 5-7 novembre ; leur audience était toujours circonscrite à quelques quartiers : Montmartre, Belleville pour les jacobins, Batignolles, les XIe, XIIe et XIVe pour les internationaux, XIIIe et V^{e} pour le petit noyau dur des blanquistes.

Paris patriote disait seulement, à très haute voix, qu'il refusait qu'on touchât à sa République.

L'Assemblée contre Paris. — Ce fut, d'emblée, la guerre entre les ruraux monarchistes et la Ville républicaine. Thiers, vainqueur des élections sous ses deux couleurs ambiguës de conservateur orléaniste et de libéral ouvert (à la République ?), était désigné à l'unanimité comme chef de l'exécutif : on mit beaucoup de réticence à ajouter « de la République française ». Titre de toute façon provisoire, « en attendant qu'il soit statué sur les institutions de la France » ; la formule pouvait aussi bien renvoyer la République aux calendes grecques. Lors de sa première séance, l'Assemblée couvrit de huées la voix de Garibaldi, le héros italien venu mettre son épée au service de la France, élu de Paris.

Puis ce fut la conclusion de la paix. Le 28 février, Thiers en rapportait le projet préliminaire : cession de l'Alsace et de la Lorraine messine, indemnité de cinq milliards, occupation de 43 départements jusqu'au règlement de celle-ci. « Hideux », commente à son tour Hugo. 30 000 Prussiens occuperaient, en attendant la ratification des préliminaires par l'Assemblée, « la partie de Paris comprise entre la Seine, la rue du Faubourg-Saint-Honoré et l'avenue des Ternes ». Occupation symbolique, du Paris des riches seulement. Elle n'en était pas moins humiliante : les Prussiens entraient dans la Ville qu'ils n'avaient pu prendre. La ratification immédiate des préliminaires abrégea à deux jours, les 1er et 2 mars, l'injure faite au patriotisme parisien. Ils furent 546, contre 107 députés seulement, qui acceptèrent, le 1er mars, ces conditions désastreuses. Gambetta, élu du Bas-Rhin, démissionnait avec tous les députés alsaciens et lorrains : « J'attends que la France républicaine se retrouve. » Sur 42 députés de Paris, 30 avaient voté contre, 8 pour ; Jules Favre osa s'abstenir.

Le 15 février, l'Assemblée rappelait que les 30 sous de solde de la Garde nationale n'étaient dus qu'à ceux qui feraient la preuve de leur indigence. C'était supprimer, de façon humiliante, une ressource essentielle pour les Parisiens sans travail. Le 7 mars, furent prises deux mesures d'une gravité extrême. La guerre, puis le blocus avaient interrompu les affaires et les paiements. Le 13 août 1870, comme il est d'usage en cas de crise, on avait proclamé un moratoire du règlement des effets de commerce et des loyers. L'Assemblée, brutalement, supprimait l'un et l'autre. Exiger le paiement des loyers, c'était jeter à la rue la moitié de Paris – le populaire, il est vrai, avait l'habitude de déménager « à la cloche de bois ». Demander le règlement immédiat des échéances commerciales était mener le Tout-Paris économique à la ruine.

Dans le commerce et l'industrie, les règlements courants ne se font pas en espèces, mais en papier de commerce, effets à 30, 60, 90 jours, escomptables auprès de banques et finalement de la Banque de France. C'est sur ce système simple, fragile en cas de crise – on l'avait vu en 1848 – que repose l'activité de la capitale. Artisans sans travail, boutiquiers et même négociants sans clients n'avaient plus de liquidités ; numéraire et papier-monnaie manquaient désastreusement en dépit des efforts de la Banque de France. On dit qu'en quelques jours 150 000 effets furent protestés, que 40 000 faillites allaient s'ouvrir. Plus que maladroite, provocante (« un bon commerçant doit toujours être en état de payer », déclarait un député peu au fait des choses commerciales), la mesure heurta la bourgeoisie petite et moyenne, qui bascula un moment dans le camp des mécontents.

Enfin, le 10 mars, par 487 voix contre 154, l'Assemblée décidait d'aller s'installer à Versailles, « décapitalisant » Paris au profit de la ville des rois. L'avant-veille, on avait ôté la parole à Victor Hugo, second élu de Paris. Il démissionnait, jetant superbement aux ruraux détestés ces mots : « Vous êtes un produit momentané, Paris est une formation séculaire. » On mettait enfin la capitale sous tutelle sévère. D'Aurelle de Paladines, général vaincu et titré, allait commander la Garde nationale, le général Valentin était à la Préfecture de police, le général Vinoy gouverneur de Paris. Méditant à l'évidence une restauration, l'Assemblée rejouait, en pire, la Législative de 1849.

Paris en liberté. — Paris avait conservé ses armes, et surtout ses canons, qui étaient son bien propre; nombre avaient été payés par souscription populaire. Ils étaient remisés sous bonne garde place des Vosges, au Champ-des-Polonais en haut de la butte Montmartre, aux Buttes-Chaumont, à La Chapelle, à Belleville. Et Paris s'affirmait hautement républicain. Du 24 février, anniversaire de la proclamation de la Seconde République, jusqu'au 27, bataillons de la Garde des quartiers populaires, parfois aussi des bons quartiers, vinrent sans discontinuer manifester leur deuil patriotique et leur foi républicaine place de la Bastille, devant la Colonne du Peuple érigée en mémoire des martyrs de juillet 1830, sous laquelle sont aussi ensevelis 200 héros de février 1848. Plus d'une centaine de bataillons au total, près de la moitié de la Garde. Le socle de la colonne était couvert de couronnes d'immortelles, la fleur républicaine; on avait placé un drapeau rouge et un noir dans la main de son génie. Cérémonial réservé au Peuple seul: le 26, un mouchard, Vincenzini, y laissa la vie, jeté à la Seine par la foule, immolé comme en un massacre rituel pour avoir profané par sa présence un espace sacré.

Toute autorité se diluait peu à peu dans Paris. La plupart des quartiers populaires n'obéissaient plus à l'Hôtel de Ville. Ils s'administraient, se poliçaient, vivaient en toute indépendance. Belleville avait donné l'exemple, le 27 février, chassant les troupes qu'on y avait cantonnées. Puis ce fut le tour du XIe, des Batignolles, le 8 mars du XIIIe arrondissement... Dans le même temps, un nouvel ordre, populaire, s'édifiait.

La Fédération de la Garde nationale. — En un mois se construit, puissante, massive, radicalement différente des organisations extrémistes du Siège, la Fédération de la Garde nationale.

La Garde, depuis septembre, est le lieu par excellence de la sociabilité populaire. Les conseils de famille élus dans chaque bataillon avaient joué un rôle non négligeable pendant le Siège. En novembre s'était esquissée autour d'eux une éphémère fédération des bataillons du XIe. La Fédération proprement dite naquit, un peu par hasard, fin janvier, des ambitions électorales d'un journaliste de *La Liberté,* Vrignault. Il souhaitait se faire porter comme candidat du Peuple aux élections du 8 février, et avait invité les bataillons à envoyer des délégations aux réunions qu'il tenait au Cirque national. L'opération électorale tourna court, mais elle fut un révélateur. Les délégués continuèrent de se réunir pour leur propre compte, d'abord sous la direction d'un négociant en bijouterie de la rue du Temple, Courty, sous-officier au 88e bataillon du IIIe. Il ne tarda pas à être remplacé par l'architecte Georges Arnold, officier au 170e bataillon du Xe. Celui-ci sera le vrai fondateur du mouvement.

Réunis salle du Tivoli Vauxhall, au cœur du très populaire quartier du Temple, les 15, puis 24 février, un demi-millier de délégués nommaient une commission de rédaction des statuts. Il s'agissait d'« établir et fortifier les liens d'union et de solidarité qui doivent faire de la milice citoyenne la seule force à l'exclusion de toute autre ». Les délégués avaient pris conscience qu'ils possédaient une volonté commune : « Maintenir par tous les moyens la République (qui est) au-dessus du suffrage universel. » Il fallait rester en armes, se constituer en un faisceau puissant. L'exemple parisien serait contagieux, allait « s'étendre au pays tout entier, aux départements débarrassés de la souillure de l'ennemi ».

Dans la nuit du 27 au 28 février, à la veille de l'occupation prussienne, la Garde, à demi organisée, eut un coup de fièvre. Il fallait « protester contre l'entrée des ennemis, s'y opposer même les armes à la main ». On commençait à ériger des barricades dans l'ouest de Paris, on allait vers un affrontement. Ce sont les organisations révolutionnaires – ce qu'il en subsistait : Internationale, Comité de la Corderie –, qui parvinrent à persuader le Comité provisoire de la Garde de ne pas se laisser porter à cette folle extrémité. Cette intervention va rapprocher les anciens mouvements de la neuve fédération.

L'Internationale avait été d'abord méfiante devant un mouvement qui n'était que politique, et confondait dans ses rangs des hommes des couches sociales les plus diverses. « Ceci ressemble à un compromis avec la bourgeoisie », objecte le bijoutier Frankel. Mais entraînée par un Varlin qui sut au contraire immédiatement percevoir l'importance de cette marée populaire qui se levait irrésistiblement, l'AIT délégua trois des siens auprès du Comité de la Garde. Nombreux d'ailleurs étaient déjà les militants qui, avec leurs bataillons, avaient adhéré à la Fédération. La Corderie se joignit à son tour au mouvement. Les deux organisations allaient fournir des cadres aux « obscurs » qui se fédéraient. Il n'y eut pas pour autant « récupération » du mouvement, qui restait d'abord et seulement, mais immodérément républicain.

Les statuts définitifs furent adoptés le 10 mars.

Il y aurait, de bas en haut, l'Assemblée générale de la Garde, formée d'un délégué par compagnie, un officier élu par bataillon, chaque commandant de bataillon. Puis le cercle de bataillon : trois délégués par compagnie et les deux officiers précédents. Dans chaque arrondissement, un Conseil de légion de trois délégués par cercle, et tous les chefs de bataillon. Au sommet un Comité central : trois délégués par légion, et un chef de bataillon élu par ses collègues.

Le programme qu'on se donnait était sobre et fort :

« Nous sommes la barrière inexorable élevée contre toute tentative de renversement de la République. Nous ne voulons plus d'aliénations, plus de monarchies, plus de ces exploiteurs ni oppresseurs de toute sorte qui, venant à considérer leurs semblables comme une propriété, les font servir à la satisfaction de leurs passions les plus criminelles. La République française, puis la République universelle... La Nation souveraine... Les citoyens libres se gouvernant à leur gré... Alors ce ne sera plus un vain mot que cette sublime devise : Liberté, Égalité, Fraternité. »

Rien que la République, mais toute la République. Il n'était fait qu'une vague allusion aux droits municipaux de la capitale. Cependant, comme mû par une étonnante prémonition, un délégué avait suggéré le

3 mars que « dans le cas où le gouvernement viendrait à être transporté ailleurs qu'à Paris, la ville devrait se constituer en République indépendante ». De Commune, il n'était pas encore question.

Vers la mi-mars (le Comité tenait des comptes précis) la Fédération avait reçu l'adhésion de 215 bataillons sur 242 existants, 1 325 compagnies sur 2 501, y compris la Garde de la banlieue. Pour Paris seul, 1 285 compagnies sur 2 150 (60 %). Il y avait 90 % de compagnies adhérentes (152 sur 162) dans la XXe légion, 80 % dans les IIIe, V^{e} et XIIe, 70 % dans la IVe, 67 % dans la XIe (202 compagnies sur 302), 62 % dans la Xe... Autour de 20 % seulement dans les Ire, VIIe, VIIIe, XVIe légions, bourgeoises. Un sondage portant sur un demi-millier de délégués donne 63 % de travailleurs industriels (dont un nombre important de petits patrons, surtout dans les quartiers centraux). Ils appartenaient principalement aux métiers d'art (23 %), du métal (11 %), de l'habillement (10 %, y compris les cordonniers, 4 %), du bâtiment (9 %). 15 % étaient des employés, 8 % appartenaient aux professions libérales, et formaient les cadres naturels d'un mouvement qui reflétait exactement la composition du Paris populaire.

Le 15 mars, on procéda à l'élection du Comité central définitif, de trente-huit membres (six arrondissements, « bourgeois », n'étaient pas représentés) : vingt et un ouvriers, trois petits fabricants, trois employés, quatre « hommes de lettres » et trois « artistes », deux architectes, un rentier, un journaliste. On les désigne toujours comme des « obscurs ». Ils ne l'étaient pas pour le Paris des humbles dont ils étaient l'émanation. Ainsi l'Internationale ou les Chambres syndicales y avaient-elles au moins vingt représentants, dont le relieur Varlin (XVIIe légion) et ses deux compagnons Clémence (IVe) et Maljournal (XXe), le mécanicien Assi (XIe), ancien dirigeant de la grève du Creuzot, Demeule (XIVe), du syndicat des Peintres en bâtiment, Géresme (XIIe), des Chaisiers, Paty (XIIIe), des Mégissiers, Bouit (XXe), des Brossiers... Pour l'AIT, ce grand rassemblement, ce front républicain populaire devait être le point de départ, le levier d'un mouvement plus ample. Varlin s'en était confié au révolutionnaire russe Lavrov, membre de la section des Batignolles :

« Avec le nouveau système d'élection des commandants de la Garde nationale, une notable partie de Paris se trouvait entre les mains des socialistes... Dans deux ou trois semaines, la ville serait contrôlée par les commandants socialistes. Par l'intermédiaire d'une fédération des gardes nationales en province, on créerait une force armée du prolétariat dans toute la France. »

Pour leur part les blanquistes, présents en moins grand nombre dans le Comité (Eudes pour la XXe légion, Duval pour la XIIIe), formaient le projet d'une « armée révolutionnaire » de Paris. Elle n'existait à la vérité que dans leur imagination.

II. — La semaine de l'incertitude

Rien qui ressemble moins à une révolution que l'instauration, le 26 mars, de la Commune enfin élue ; l'Histoire, dirait-on, mit une longue semaine à en décider.

Le 18 mars. — Et rien non plus qui ressemble moins à une insurrection que la journée du 18 mars. A peine désigné, le Comité central, encore incomplet, n'aurait eu le temps de rien fomenter. « Dans deux ou trois semaines », disait Varlin...

Pour l'Assemblée qui allait siéger à Versailles à partir du 20 mars, cette « anarchie » qui régnait dans Paris était intolérable. Vinoy ne tenait plus la ville, tentait en vain d'empêcher réunions et rassemblements populaires, interdisait le 11 mars six journaux parmi les plus populaires, dont *Le Vengeur,* qui succédait au *Combat, Le Cri du Peuple,* que venait de fonder Jules Vallès, *Le Père Duchesne,* d'Eugène Vermersch... Thiers arriva le 13 dans la capitale; il allait « soumettre Paris ».

Pour reprendre les 271 canons, 146 mitrailleuses que la Garde nationale conservait en lieux sûrs, et du même coup procéder à une arrestation générale des « meneurs », le gouvernement prépara une action qui frappait très juste, et très fort. La division Susbielle, 4 000 hommes, s'emparerait de Montmartre, le principal arsenal. La division Faron, 6 000 hommes, occuperait Belleville, le grand repaire rouge. La division Maud'huy s'installerait à la Bastille, neutralisant le Faubourg Saint-Antoine, et, tenant les ponts de la Seine, isolerait la rive gauche. Les réserves étaient à l'École militaire, le quartier général au Louvre.

L'opération commença nuitamment. A six heures, le général Lecomte était maître du sommet de la butte Montmartre, Faron arrivait sans peine à Belleville. Brusquement tout dérapa. A Montmartre, quelques femmes et gardes nationaux, une foule bientôt, s'ameutait au Champ-des-Polonais. « Enguirlandés » de toute part, 250 hommes du 88e bataillon de marche mettent la crosse en l'air. A l'appel du Comité de vigilance du XVIIIe qui siège au bal du Château-Rouge, et du Comité de légion de la Garde, installé rue des Rosiers, six bataillons de gardes nationaux arrivent à la rescousse, érigent la butte en forteresse, capturent le général Lecomte. Celui-ci, en dépit des efforts des deux comités et du maire Clemenceau, est sommairement fusillé dans l'après-midi. En même temps que lui le général Clément Thomas ; bon républicain, il était de ceux qui avaient participé à la répression de juin 1848, et passait par là, « en flâneur ». Ce fut le seul sang versé ce jour, avec celui du garde Turpin, qui avait donné l'alarme à Montmartre.

L'histoire n'a retenu que ce qui s'était passé à Montmartre. Le même scénario se jouait ailleurs. Faron, à Belleville, devait se replier précipitamment à 11 heures ; le XIe et le Faubourg Saint-Antoine se hérissaient de barricades. Il fallait bientôt abandonner le centre décisif du dispositif de bataille qu'était la Bastille.

En cette matinée purement défensive, chaque quartier combattit pour soi. On n'aperçoit nulle trace d'une quelconque coordination des mouvements, rien notamment du fait du Comité central, installé pourtant dans une école de la rue Basfroi, derrière la Bastille ; des délégués – une dizaine – commencèrent seulement d'y arriver après 10 heures.

L'après-midi fut celui de la contre-offensive populaire.

Ici encore, pas de vraie coordination. Les blanquistes de la XIIIe légion, derrière Duval, paraissent avoir été les premiers à réagir ; avec quatre bataillons, ils s'emparaient vers 14 heures du Quartier latin et de la poudrière du Panthéon. Duval n'osa passer les ponts que dans la soirée, pour s'emparer de la Préfecture de police. Sur un ordre vague du Comité central, Varlin rassemblait quelques compagnies, 1 500 à 2 000 hommes de quatre bataillons des Batignolles et de Montmartre, qui descendirent vers la place Vendôme, siège de l'état-major de la Garde nationale, pris vers 21 heures. On tenait du même coup le ministère de la Justice.

En toute insurrection parisienne l'objectif essentiel est l'Hôtel de Ville. Les « insurgés » hésitèrent longtemps. Avec deux bataillons de la IIIe légion, Pindy s'emparait de l'Imprimerie nationale, puis de la caserne des Minimes. Avec deux de la Xe, Brunel, officier de carrière républicain, occupait la caserne du Château-d'Eau (caserne Vérines, place de la République). Les deux colonnes firent leur jonction vers 17 heures avec cinq bataillons arrivés de Belleville, emmenés par Ranvier et Eudes. Ils convergeaient place de Grève à 21 h 30, s'emparaient à 22 heures de la Maison commune, évacuée sur ordre de Thiers par Ferry, qui eût volontiers résisté.

Au Quai d'Orsay, où siégeait le gouvernement, les généraux Vinoy et Le Flô avaient vu avec effroi la troupe fraterniser partout avec la foule, et perdaient tout sang-froid. En dépit de l'avis des ministres civils, Favre, Simon, de Ferry, préfet provisoire de la Seine, persuadés qu'on pouvait tenir – au 31 octobre la situation n'avait guère été moins périlleuse –, Thiers décidait dès 16 heures de quitter Paris, ordonnant l'évacuation générale des troupes. Il enjolivera ce qui ne fut qu'une fuite éperdue : « J'ai des devoirs envers Paris, mais des devoirs encore plus grands envers la France. »

Vers minuit, le Comité central de la Garde nationale tenait sa première séance à l'Hôtel de Ville.

Lendemains d'une fausse victoire. — La Ville s'était libérée. Qu'allait-on faire de cette liberté, facilement, mais comme involontairement conquise ? On achevait d'occuper les principaux édifices publics, ministères, gares, casernes, mairies des arrondissements de périphérie. Le Comité central siégeait sans désemparer. Il levait l'état de siège dans le département de la Seine, décrétait l'amnistie pour tous les crimes et délits politiques, l'abolition des conseils de guerre. Varlin et Jourde s'installaient au ministère des Finances, les blanquistes Duval et Raoul Rigault à la Préfecture de police, Eudes... à la Guerre ! C'était malgré tout l'indécision. « Nous avons chassé le gouvernement qui nous trahissait... Le nouveau gouvernement de la République vient de prendre possession de tous les ministères et de toutes les administrations », lisait-on à *L'Officiel.* Mais immédiatement une autre proclamation disait : « Si le Comité central était un gouvernement... » Les blanquistes proposaient qu'on marchât sans désemparer sur Versailles. C'est ce que, plus tard, trop de « tacticiens » de la Révolution, après Marx ou Trotski, reprocheront aux Parisiens de n'avoir pas su faire. Une majorité s'y opposa. Versailles tomberait peut-être. Mais ensuite, à quelle atroce guerre civile allait-on être conduit, sous les yeux de l'occupant ? Il fallait d'abord consolider la situation dans la capitale. On se rallia à la proposition d'élections municipales immédiates. Le peuple trancherait, le 22 mars.

La révolte légale. — Les hommes du 18 mars choisissaient d'agir dans la légalité. Usuellement, en 1789, 1792, 1830, 1848, une Révolution de Paris tranche du sort de la France. Le peuple parisien s'investit d'une légitimité coutumière, qui surpasse toute légalité. Cette légitimité ne parut pas suffisante aux « insurgés » de 1871, étonnamment peu sûrs d'eux-mêmes.

Légalité : mais où était-elle ? Assurément pas dans

« cette assemblée qui ne représente pas d'une manière complète, incontestable, la libre souveraineté populaire. Par son étroitesse de vue, par son caractère exclusif et rural, cette assemblée provinciale a prouvé qu'elle n'était pas à la hauteur des événements actuels... » (*Journal officiel de la Commune,* 22 mars).

C'est vers une autre légalité – parisienne – que se tourna le Comité central ; celle que représentaient maires et adjoints élus des arrondissements, et, comme au 4 septembre, les députés républicains désignés le 8 février par la Ville. Des maires, et quelques députés, s'étaient réunis aux mairies du IIe et du IIIe. Des contacts étaient pris dès l'après-midi du 19 mars. Une dramatique séance commune se tint à 20 heures à l'Hôtel de Ville. Clemenceau, tout en désavouant le coup de force gouvernemental, nouveau 2 décembre, plaida véhémentement qu'on restitue les canons, que le Comité s'efface devant le pouvoir régulier des maires, qu'on reconnaisse, malgré tout, la légitimité de l'Assemblée nationale. Millière, député, bon socialiste, prédit lucidement qu'on allait droit à de nouveaux massacres de juin. C'est alors que Varlin, avec l'appui de Malon, son compagnon de l'Internationale qui, adjoint du XVIIIe, député démissionnaire, se trouve en l'occurrence dans le camp d'en face, formule clairement, fortement, les demandes de Paris, qui pour l'instant sont minimales :

« Nous voulons un conseil municipal élu. Nous voulons des franchises municipales sérieuses pour Paris, la suppression de la Préfecture de police, le droit pour la Garde nationale de nommer tous les officiers y compris le commandant en chef, la remise entière des loyers échus au-dessous de 500 francs, une loi équitable sur les échéances ; enfin nous demandons que l'armée se retire à vingt lieues de Paris. »

Pour la première fois était nettement définie la revendication des droits de Paris. Après un débat tendu – « vous contestez nos titres, nous avons la force », lance Jourde –, et d'ultimes négociations tard dans la nuit, l'accord parut se faire. Les députés républicains iraient porter à l'Assemblée les exigences de la capitale. Le Comité restituerait l'Hôtel de Ville, ne se réservant que l'autorité militaire sur la Garde nationale.

Le lendemain 20 mars, à la séance d'ouverture de l'Assemblée à Versailles, dix-sept députés de Paris déposaient les projets de loi convenus. Clemenceau présentait celui d'élections municipales, Édouard Lockroy celui d'élection des cadres de la Garde nationale, Millière un troisième sur les échéances. S'installant à peine, et comme abasourdie, l'Assemblée votait l'urgence pour le premier et le troisième projets. L'entente allait-elle se faire ?

A Versailles. — L'image est belle, de Marx, qui compare la Révolution au cheminement d'une vieille taupe, progressant souterrainement, aveuglément. Son cheminement en mars 1871 fut spécialement tortueux.

Le 20 au matin, à l'instigation de la Corderie et des blanquistes, le Comité central refusait de rendre l'Hôtel de Ville : il eût perdu là son atout maître. Le 21, l'Assemblée et le gouvernement reprenaient leurs sens. J. Favre argumenta redoutablement :

« S'il ne s'agissait que de rendre à Paris la liberté des élections !... Est-ce que ce n'est pas la guerre civile ouverte, audacieuse, accompagnée du meurtre lâche et du pillage dans l'ombre ? Est-ce que nous ne savons pas que les réquisitions commencent, que les propriétés vont être violées, et que nous allons voir, de progrès en progrès, la société tout entière sapée par la base s'effondrer... »

En fait de réquisitions à ce jour, la Commune avait sollicité et obtenu 500 000 F de Rothschild et un million de la Banque de France pour la solde de la Garde nationale. Favre n'en entrevoit pas moins l'apocalypse, et l'habile sait rudement frapper au point faible :

« Ce qu'on a voulu, ce qu'on a réalisé, c'est un essai de cette doctrine funeste qui malheureusement a eu d'illustres sectateurs..., opinion qui, en philosophie, peut s'appeler l'individualisme ou le matérialisme, et qui, en matière politique s'appelle, pour se servir d'un nom que j'ai entendu employer ici, la République placée au-dessus du suffrage universel. »

C'était condamner à un silence consterné les républicains de la Gauche radicale. Paris en effet passait la mesure. L'opinion de son seul peuple ne saurait, si décidée qu'elle soit, incarner la souveraineté nationale ; seul le suffrage universel en est l'authentique expression. On n'entendit donc guère s'élever, pour défendre leurs mandants, les voix des L. Blanc, E. Ouinet, Schoelcher, Littré..., notamment pas lorsque, le 22, sur proposition de Vacherot, maire du Ve, théoricien républicain de *La Démocratie,* l'Assemblée rejeta le projet d'élections municipales parisiennes.

La République de Paris. — Versailles campait irrévocablement dans une attitude de surdité haineuse.

A Paris, le 21, une seconde fois le 22, quelques centaines d' « amis de l'ordre », monarchistes et bonapartistes, manifestaient place Vendôme et se heurtaient à la Garde nationale. Il y eut des morts des deux côtés. Le Comité central durcissait à son tour sa position. Fixant au 23 les élections projetées, il se passerait du consentement de Versailles et de la collaboration des maires. Rompant décisivement avec la légalité, il attendait un appui, un acquiescement du reste de la France :

« Les grandes villes ont prouvé, lors des élections de 1869 et du plébiscite, qu'elles étaient animées du même esprit républicain que Paris ; *les nouvelles autorités républicaines* espèrent donc qu'elles lui apporteront leur concours sérieux et énergique dans les circonstances présentes, et qu'elles les aideront à mener à bien l'œuvre de régénération et de salut qu'elles ont entreprise au milieu des plus grands périls. Les campagnes seront jalouses d'imiter les villes» (*JOC,* 19 mars).

Appel, sans grande force, à une insurrection, ou plutôt à un soutien national? Plusieurs villes s'agitèrent du 22 au 25 mars: on reviendra sur ces brèves émotions urbaines. On voit mal quelles campagnes se montreraient jalouses d'imiter les villes.

En vérité, cette «Révolution sans précédents dans l'Histoire» s'acheminait, comme sans le vouloir, vers l'idée, sans précédent en effet, et dont on oublie trop de souligner le caractère excessif aussi bien qu'utopique, d'une République de Paris qui, se constituant d'abord seule, s'offrirait en modèle au reste du pays. Le projet s'en précisait peu à peu. Ces élections qu'on réclamait permettraient certes à Paris de «ressaisir les libertés communales dont jouissent ailleurs les plus humbles villages» (*JOC,* 22 mars), mais aussi d'affirmer

«le droit de la cité, aussi imprescriptible que celui de la Nation; la cité doit avoir, comme la Nation, son assemblée qui s'appelle indistinctement assemblée municipale, ou communale, ou Commune, première pierre du nouvel édifice social, indestructible base de vos institutions républicaines...» (22 mars). «Le droit imprescriptible de toute cité, de s'administrer soi-même, laissant au gouvernement central l'administration centrale, la direction politique du pays» (25 mars).

Voici que se dessine le projet d'une «Ville libre», dotée de son *self-government.* Influence du Comité de la Corderie, qui avait sous le Siège lancé de multiples propositions en ce sens, et de l'un de ses membres, le théoricien proudhonien et fédéraliste Pierre Denis? Mais c'était un blanquiste, Eudes, qui le premier lançait l'idée de Paris ville libre:

«Paris, depuis le 18 mars, n'a d'autre gouvernement que celui du Peuple et c'est le meilleur... Paris est devenu ville libre. Sa puissante centralisation n'existe plus.»

Influence de l'Internationale qui venait, dans un manifeste des 22-23 mars, de donner son adhésion à la Révolution de Paris ?

« Aujourd'hui le Peuple de Paris est clairvoyant... Dans les élections municipales, produit d'un mouvement dont il est lui-même l'auteur, il se rappellera que le principe qui préside à l'organisation d'un groupe, d'une association, est le même qui doit gouverner la société entière. L'autonomie de chaque commune enlève tout caractère oppressif à ses revendications et affirme la République dans sa plus haute expression. »

Tous en vérité semblent communier dans la même illusion « autonomiste ».

Le parti des maires. — Le Comité central s'enhardissait. Le 24, il désignait trois généraux pour la Garde nationale : Eudes, Duval, Brunel. Leur première proclamation disait : « Tout ce qui n'est pas avec nous est contre nous. » Le petit groupe des maires et députés n'en continuait pas moins, inlassablement, de s'entremettre.

On a trop facilement fait de ceux-ci des instruments aux mains d'un Thiers faisant semblant de négocier pour gagner du temps. C'est vrai de quelques-uns, Vautrain du IVe, Desmarest du IXe, qui vantèrent plus tard le « mérite courageux » de leur bienfaisante temporisation. Ils étaient pour la majorité des républicains et des parisiens de bon aloi : Tirard, Clemenceau, Tolain, Arnaud de l'Ariège, maire du VIIe, Carnot, du VIIIe, l'historien Henri Martin, du XVIe, les députés Floquet, Lockroy, Schoelcher, Greppo. Et le Comité central n'était pas maître de la totalité de la Ville. Restaient hors de son emprise les mairies et administrations des IIe, IIIe, IXe, XVIIe, XVIIIe et XVIe arrondissements. Aux mairies des IIe et IIIe, le « parti des maires » avait été rejoint par plusieurs « bons » bataillons de la Garde nationale, sincèrement républicains eux aussi – quelques-uns mêmes étaient fédérés : c'est dire la confusion qui régnait. Ils assuraient un « service de protection et de surveillance » dans les deux arrondissements, constituant un moment une petite citadelle d'ordre républicain. Le Comité central appréciait si peu leur indépendance qu'il faisait occuper, les 21 et 22, les mairies des IXe, XVIIe, XVIIIe, les deux dernières, celles de Malon et de Clemenceau, d'un radicalisme avancé.

Les maires désignaient, le 23 mars, l'amiral Saisset, député de Paris, comme « commandant supérieur » de la Garde nationale. Le même jour, une députation de maires, solennellement ceints de leurs écharpes tenta de se faire recevoir par l'Assemblée pour dénouer la situation. La vue de tout ce tricolore exaspéra les ruraux qui refusèrent de siéger. Néanmoins, le soir, Arnaud de l'Ariège parvenait à faire prendre en considération un texte demandant que l'Assemblée « voulût bien autoriser les maires à prendre, au besoin, les mesures que le danger public réclamerait impérieusement, que l'élection du général en chef fût fixée le 28, que l'élection du Conseil municipal de Paris eût lieu même avant le 3 avril, si possible ». Ici intervient un événement assez mal compréhensible. Le lendemain 24, Saisset faisait proclamer que toutes les revendications de Paris étaient acceptées, ce qui n'était nullement le cas. Le geste paraît avoir sérieusement compromis Thiers qui dut venir en personne conjurer les députés de « ne pas vouloir des éclaircissements qui, dans ce moment-ci, seraient très dangereux ». Dans les rangs de la majorité rurale, on parlait en tout cas de confier une lieutenance générale du royaume au prince de Joinville ou au duc d'Aumale. Arnaud de l'Ariège retirait en hâte sa proposition. Plus que de la volonté de Thiers, le rejet de toute forme de compromis paraît bien alors être venu de l'obstination haineuse de l'Assemblée.

Rejetés par Versailles, les maires étaient également menacés dans Paris. Le Comité central envoyait Brunel avec plusieurs bataillons reprendre de force les mairies des Ier et IIe. Celui-ci, sa mission remplie, acceptait la discussion et – c'est dire l'indécision qui continuait de régner –, reportait de son propre chef les élections au 30 mars. Il était désavoué aussitôt par le Comité, qui maintenait la date du 26.

Excédés par les outrances de Versailles, les conciliateurs cédèrent finalement, acceptant les élections pour le 26. « Nous sommes, concluait Clemenceau, pris entre deux bandes de fous » ; mais un autre : « L'émeute a tout de même ses sages. » Sept députés, sept maires, trente-deux adjoints acceptaient l'accord. Paris paraissait s'être réconcilié avec lui-même.

Les élections du 26 mars. — Le scrutin eut lieu le 26, pour l'élection d'un Conseil municipal. Certains, non pas tous, entendaient par là Commune. Mais en quel sens ? 227 303 Parisiens (48 %) votèrent pour 474 569 inscrits*. Même si l'on admet que le nombre des inscrits – on voit d'ailleurs mal pourquoi – est fortement surestimé, la proportion d'abstentions reste énorme. Il y avait eu à Paris en février plus de 290 000 votants (62 %). 225 441 seulement pour l'élection des maires en novembre. En somme, en ce jour « révolutionnaire », Paris votait comme s'il se fût agi de simples élections municipales.

La campagne avait été vive. Il y eut multiplication confuse de listes, si bien qu'il est malaisé d'attribuer une signification précise au comportement des électeurs. Le Comité central n'avait voulu patronner personne : « Défiez-vous, disait-il seulement, autant des ambitieux que des parvenus, des parleurs incapables de passer à l'action. Cherchez des hommes sincères, des hommes du Peuple, résolus, actifs. » Probablement se désignait-il ainsi lui-même. Les Comités de Vigilance présentaient des listes dans chaque arrondissement, et la Corderie publiait le 23 un manifeste, de tour et de ton nettement fédéraliste :

« La Commune est la base de tout état politique, comme la famille est l'embryon des sociétés. Elle doit être autonome, se gouverner et s'administrer elle-même suivant son génie particulier, ses traditions, ses besoins ; exister comme personne morale, conservant dans le groupe politique, national et fédéral, son entière liberté, son caractère propre, sa souveraineté

* Ces chiffres, différents des chiffres officiels, sont rectifiés sur archives.

complète... C'est cette idée communale, poursuivie dès le XIIe siècle, affirmée par la morale, le droit et la science qui vient de triompher. »

L'hostilité des beaux quartiers se traduisit par l'abstention : plus de 60 % dans les VIe, VIIe, VIIIe, IXe, XVIe. On vota également peu dans les arrondissements pauvres de rive gauche, XIVe (37 % de votants), XVe (33 %). Dans les arrondissements mêlés du centre, la présence de candidats du parti des maires entraîna la participation de toute une bourgeoisie populaire : 55 % de votants dans le IIIe, un peu plus de 50 % dans les Ier et IIe, 43 % encore dans le IVe. Mais tout se passe au fond comme si le seul quart nord-est de la Ville – son noyau dur populaire – s'était senti réellement concerné : 76 % de votants dans le XXe, 65 % dans le XIXe, de 55 à 60 % dans les Xe, XIe, XIIe, 53 % encore à Montmartre.

Il y avait 92 sièges « communaux » à pourvoir. Du fait d'élections multiples, il n'y eut que 86 élus (en comptant Blanqui, élu des XVIIIe et XXe, que Thiers venait de faire arrêter en province). Les voix n'allèrent pas toutes au parti « communaliste ». On ne peut lui en attribuer plus de 180 à 190 000, 40 000 au minimum allant au camp des maires, qui l'emportaient dans les 1er, avec Méline, IIe, avec Tirard, IXe, avec le gambettiste Ranc, XVIe ; dans le IVe, 40 % des voix s'étaient portées sur le nom de Louis Blanc. Les « communeux » n'étaient pas, ils étaient loin, compte tenu des abstentions, d'être majoritaires.

Quinze élus des listes des maires refusèrent de siéger ou quittèrent l'Assemblée communale dès sa seconde séance, suivis, les 6 et 7 avril, par cinq radicaux, Goupil, du VIe et les quatre élus du IXe, dont Ranc, quand il parut que la Commune outrepassait des attributions purement municipales. Le charpentier Fruneau (XIIe), international, ne voulut pas siéger, plaidant l'incompétence. Flourens (XXe) et Duval (XIIIe) ayant été tués dès les premiers combats d'avril, l'Assemblée se trouva réduite à 62 membres. Dix-sept nouveaux furent désignés aux élections complémentaires du 16 avril, pour lesquelles la participation fut dérisoire (plus de 70% d'abstentions). Au total, la Commune compta 79 membres, dont ne siégèrent jamais qu'une cinquantaine, une soixantaine aux meilleurs jours.

Il n'est pas facile de répartir ces élus en tendances, ou partis. On comptait neuf blanquistes, groupe facile à cerner, avec Eudes, Duval, Rigault, Ferré, Tridon... L'AIT et les Chambres syndicales avaient une quarantaine d'élus (avec de doubles appartenances : Duval, fondeur, blanquiste, est membre de l'Internationale depuis 1867). Vingt sont francs-maçons, majoritairement du rite écossais. Quatorze avaient été membres du Comité central.

Le fait majeur – la mémoire socialiste aime à le rappeler – est que l'Assemblée était principalement formée de travailleurs : trente-trois ouvriers, appartenant dans leur quasi-totalité aux métiers d'art, cinq patrons, dont Eugène Pottier, qui dirigeait le premier atelier de dessins sur étoffes de Paris. A quoi s'ajoutaient quatorze employés et comptables (Jourde, Eudes, Ferré, Viard...), douze journalistes, dont l'éclatant Vallès, Arnould, Flourens, Verdure, de l'ancienne *Marseillaise*... Douze membres des professions libérales, avocats, médecins, instituteurs. L'ancien instituteur devenu comptable Lefrançais, l'avocat Gambon, le peintre Courbet étaient des vétérans de 1848. La tradition jacobine des Révolutions du XIXe était représentée par le vieux pharmacien raspailliste Jules Miot, par Jean-Jacques Pillot, communiste, auteur trop oublié de *Ni châteaux ni chaumières* (1840), *La Communauté n'est plus une utopie* (1841), et par Delescluze, 61 ans, usé par les luttes et le bagne. Le doyen était le vieux proudhonien Charles Beslay, 75 ans. Il prononça le discours inaugural, le 29 mars, évoquant ce que seraient les attributions de la neuve Commune : « (Elle) s'occupera de ce qui est local. Le département... de ce qui est régional... Le gouvernement de ce qui est national. »

L'utopie de la « République de Paris » paraissait décidément prendre forme.

Chapitre IV

LA COMMUNE DE PARIS : LES ŒUVRES

« L'œuvre première de la Commune, ce fut son existence même. » Le brillant pamphlétaire qu'est Marx peut se permettre cette facile ellipse. Force est de constater que, faute évidemment de temps, l'œuvre de l'Assemblée communale fut mince. Le sens en est en vérité confus : cette Commune en effet, était-ce une municipalité dotée de pouvoirs exceptionnels, ou bien le gouvernement de cette République de Paris qu'on a évoquée ? Elle tâtonna, erra, pendant ses 57 séances. Ses membres eux-mêmes paraissent mal satisfaits du travail accompli : « Nous ne sommes, dit Édouard Vaillant, qu'un petit parlement bavard » ; ou Billioray : « La Commune passe son temps à des niaiseries. »

I. — « Organiser l'apocalypse »

Structures. — Municipalité, gouvernement ? La Commune fut un peu des deux à la fois. Elle dut d'abord inventer ses formes mêmes, d'administration et de gestion. Elle mit en place neuf commissions collégiales qui étaient autant de petits « ministères » : Services publics, Finances, Enseignement, Justice, Sûreté générale – mot de 93 –, Subsistances ; mais aussi Travail et Échange, Guerre, voire Relations extérieures ! Une commission exécutive couronnait l'ensemble : Bergeret, Duval,

Eudes, Lefrançais, Pyat, Vaillant, Tridon ; les blanquistes, « techniciens » de la Révolution y étaient majoritaires. Cette Commune première version fonctionna mal. Le 21 avril, les neuf commissions étaient renouvelées, elles avaient désormais à leur tête un délégué : Jourde aux Finances, Cluseret à la Guerre, Vaillant à l'Enseignement, Protot à la Justice, Grousset aux Relations extérieures, l'international hongrois Frankel au Travail, Viard aux Subsistances, Rigault à la Sûreté générale. Jules Andrieu, ancien employé à l'Hôtel de Ville, remarquable pédagogue (il collaborait au grand *Larousse,* et, professeur privé, avait contribué, avec une rare compétence, à la formation des principaux militants de l'AIT) gérait les Services publics ; il a laissé des *Notes pour servir à l'Histoire de la Commune,* clairvoyantes et cruelles critiques de la gestion de celle-ci. Les neuf délégués constituaient l'exécutif. La solution ne fut pas meilleure. Et il manqua toujours – on en discuta longuement le 8 mai sans conclure – une Commission législative, qui aurait été chargée, en vertu des règles du gouvernement direct, de recueillir les propositions de réformes ou de lois qui émaneraient d'en bas, des clubs, des organisations populaires.

Tant bien que mal, plutôt bien que mal, la Commune parvint à assurer le fonctionnement de l'énorme machine administrative parisienne.

Grâce à quatre hommes essentiellement : Jourde, Andrieu, Viard, Varlin, ce dernier chargé de l'Intendance, qui payait, équipait, armait la Garde nationale. Le bronzier Theisz avait en charge les Postes (les relations, en dépit du nouveau siège, n'étaient pas interrompues avec l'extérieur, elles transitaient par Versailles !). Son compagnon Camélinat dirigeait l'hôtel des Monnaies. Le comptable Paul Piat avait la responsabilité du service des Chemins de Fer. Volpesnil, ancien contrôleur des Contributions, dirigeait l'octroi. Louis Debock, typographe, était à la tête de l'Imprimerie nationale. Tous ces administrateurs improvisés étaient membres de l'AIT.

Décisif restait le rôle des commissions d'arrondissements, désignées par les membres de la Commune, presque toujours issues des anciens comités de vigilance. Elles organisaient l'assistance et les subsistances, géraient les écoles, ouvraient des ateliers pour les sans-travail. A ce niveau, ce fut bien un gouvernement direct que connut Paris, non sans tensions avec le pouvoir « central » de l'Hôtel de Ville.

Une œuvre républicaine. — L'Assemblée communale prit d'urgence plusieurs mesures qu'imposaient les circonstances. Le 29 mars, remise totale était faite des loyers échus d'octobre à avril : « Il est juste que la propriété fasse sa part de sacrifices. » Le 12 avril, en accord avec les Chambres syndicales patronales du Commerce et de l'Industrie le problème des échéances commerciales était de même réglé : les effets impayés le seraient par paiements échelonnés sur trois ans.

La Commune satisfit surtout deux des grandes revendications de principe chères au cœur des républicains parisiens. Le 29 mars, « la conscription est abolie... Tous les citoyens valides font partie de la Garde nationale » ; le service militaire (municipal) devenait obligatoire pour tous. Le 2 avril, suppression du budget des Cultes et séparation de l'Église et de l'État, « considérant que... la liberté de conscience est la première des libertés..., que le clergé a été le complice des crimes de la monarchie contre la liberté ». La Commune empiétait là sur deux domaines relevant de la compétence nationale.

A la Commission de l'Enseignement, Vaillant œuvrait à la laïcisation de l'école.

C'était, avec la gratuité et l'obligation, une autre revendication profondément parisienne, du peuple et de la bourgeoisie, petite ou moyenne, confondus. Revendication rugueuse, volontiers brutale. A Paris plus qu'ailleurs, en dépit des efforts récents du ministre

Victor Duruy, les Congrégations avaient, depuis 1850, considérablement étendu leur emprise sur l'école primaire. Vers 1870, les établissements congréganistes (libres ou publics) recevaient deux fois plus d'élèves que les laïcs : « l'armée noire s'en va pleine de furie, colportant la nuit et posant partout l'éteignoir » (Blanqui).

La Commission eut moins à décréter qu'à harmoniser et coordonner les initiatives prises localement par les mairies d'arrondissement et les sociétés de libre pensée, « Éducation nouvelle », « Amis de l'Instruction ».. Initiatives du IIIe qui chassait le 16 avril les congréganistes et les remplaçait par des instituteurs laïcs ; du Xe qui faisait de même le 22, du XIIe, du XVIIIe, le Montmartre de Louise Michel, du XXe où la Commission locale se donnait pour programme :

« Les faits et les principes scientifiques seront enseignés sans aucune concession hypocrite faite aux dogmes que la raison condamne et que la science répudie. L'enseignement public de la morale ne procède d'aucune autre autorité que celle de la science humaine. »

Aux Batignolles, l'instituteur Rama, la romancière André Léo (Léodile Champseix), Ferdinand Buisson, futur grand pédagogue de la IIIe, élaboraient un vaste projet d'enseignement pour les filles, employant « exclusivement la méthode expérimentale... qui part toujours de l'observation des faits, quelle qu'en soit la nature. »

On réfléchissait à des plans d'éducation professionnelle, « intégrale » selon le mot des internationaux : « Il faut que les hommes, dès 1880, sachent produire d'abord, parler et écrire ensuite... Il faut qu'un manieur d'outil puisse écrire un livre » (H. Bellanger). La première école professionnelle, mixte, s'ouvrit le 6 mai, rue Lhomond, dans un collège de Jésuites laïcisé. Le 13, Vaillant dressait un vaste projet de réforme de l'enseignement médical.

On évoquera pour mémoire le projet de Protot, avocat, blanquiste, « délégué ministre de la Justice », d'une radicale réorganisation de celle-ci, qu'on n'eut pas le temps d'amorcer. Elle serait gratuite, rendue par des jurys élus. La Commission de Justice décréta cependant déjà l'abolition des vieux privilèges des corps d'officiers publics, notaires, avoués, huissiers, greffiers, commissaires-priseurs. Ils devenaient fonctionnaires communaux, dressaient gratuitement les actes.

Le 14 avril, le peintre Gustave Courbet avait constitué une Fédération des artistes, « gouvernement du monde des arts par les artistes » : elle compta un demi-millier de membres, parmi lesquels Dalou, Daumier, Corot, André Gill, Manet, Claude Monet ; elle se donnait pour but

« la libre expansion de l'art, dégagé de toute tutelle gouvernementale... L'indépendance et la dignité de chaque artiste mise sous la sauvegarde de tous par la création d'un Comité élu au suffrage universel des artistes ». La Fédération assurerait « la conservation des trésors, la mise en œuvre et en lumière de tous les éléments du présent... (concourrait) à l'inauguration du luxe communal, aux splendeurs de l'avenir et à la République universelle. »

Le 19 mai, la Commune discutait un projet sur la liberté des théâtres, remis à des associations d'acteurs ; Pyat la plaida avec chaleur :

« Quand Molière a institué son théâtre, il y en avait un qui était patenté, mais ce n'était pas celui de Molière. Il a installé son théâtre précisément en face de celui qui était subventionné et patronné par l'État... Il ne doit plus y avoir de littérature, de science d'État, pas plus qu'il ne doit y avoir de religion d'État. »

La Commission du Travail. — Conduite par Frankel et B. Malon, la Commission du Travail accomplit en peu de jours une œuvre sociale nullement négligeable. Il n'y eut que deux vraies réformes : le 28 avril, la suppression, depuis longtemps réclamée par la corporation, du travail de nuit des ouvriers boulangers et de leurs bureaux de placements ; le 27, l'interdiction dans les ateliers et administrations des amendes ou retenues sur les salaires. Frankel avait fait mettre à l'étude un projet de réorganisation du Mont-de-piété, qu'on allait transformer en banque de crédit populaire. Tout ce qu'en la matière eut loisir de faire la Commune fut de décréter, le 6 mai, la restitution gratuite des objets mis en gage – linge, meubles, instruments de travail –

si leur valeur n'excédait pas 20 F. Pendant le Siège, on avait restitué les objets de moins de 15 F.

La Commission mit en route de vastes projets d'organisation du travail, dans la manière et le prolongement de ce que déjà les sociétés ouvrières en 1848 avaient imaginé, selon les normes d'un socialisme qui est celui du XIXe siècle, socialisme de l'Association, des « ouvriers de métier ».

« La Commune, écrit le typographe G. Bertin, secrétaire de la Commission, ce n'est pas seulement l'autonomie administrative, mais encore et surtout le droit absolu pour le groupe communal de créer son organisation politique comme un moyen pouvant réaliser le but suprême de la révolution, l'affranchissement du travail, l'abolition des monopoles et privilèges, de la bureaucratie et de la féodalité agioteuse et capitaliste. »

Organisation du travail par les travailleurs eux-mêmes, associés. Tout reposait sur l'édifice des Chambres de métiers. Celles-ci s'étaient mises en sommeil pendant le Siège. Depuis l'armistice, plusieurs revivaient. A elles d'établir – la Commune leur apporterait l'aide et le crédit nécessaires – une ou plusieurs associations de production dans leur profession. Déjà la Ville réservait ses commandes d'uniformes, souliers, armes, aux coopératives existantes des Mécaniciens, Fondeurs en fer, Tailleurs, Cordonniers. On avait « communalisé » plusieurs grandes entreprises appartenant à la Ville ou à l'État, Manufacture des Tabacs, Imprimerie nationale... maintenant gérées par leurs ouvriers. Et l'Assemblée communale prenait, le 16 avril, un décret portant confiscation (contre indemnité) des ateliers abandonnés par leurs patrons pendant ou depuis le Siège.

C'était un point de départ, d'ancrage, pour le développement d'un bien plus vaste mouvement. On communalisait quelques ateliers. Suivrait un effet multiplicateur. Mieux gérées, puisque par les travailleurs eux-mêmes, s'entr'aidant au lieu de se concurrencer, ignorant le profit, « apportant à l'échange leur produit au prix de revient », les associations ouvrières ne pourraient que l'emporter sur les entreprises patronales. Elles grandiraient, essaimeraient, s'étendraient progressivement à la profession tout entière, réalisant une « syndicalisation » des moyens de production. Leurs débouchés, ce seraient les associations de consommation. Alors s'établirait ce que Proudhon appelle l' « égal échange », sans intermédiaire parasite, appuyé sur un système de crédit communal gratuit.

Utopie quarante-huitarde, inspirée notamment du souvenir des projets d'organisation du travail de Louis Blanc ? Le rôle assigné aux Chambres de métiers, nombreuses, bien structurées (en 1848 elles n'existaient qu'à l'état d'ébauche) pouvait rendre plausible la réalisation d'un tel système d'associations complémentaires, qui ne se limiteraient pas à Paris mais s'étendraient à toutes les villes et agglomérations industrielles.

Quelques corporations avaient commencé de réunir leurs membres : Maçons, Lithographes, Tailleurs... Le Conseil fédéral de l'Internationale convoquait, le 20 avril, l'ensemble des Chambres ouvrières reconstituées. Celles des Tailleurs, Mécaniciens Bijoutiers, Fondeurs en fer, Fondeurs en suif (qui allaient s'installer aux abattoirs de La Villette), six autres, entamaient le travail de recensement des ateliers à l'abandon. Une Commission d'enquête et d'organisation se réunissait le 7 mai. A cette date, une seule fabrique encore avait été réquisitionnée et remise en marche, la fonderie Brosse, à Grenelle, ancienne coopérative ouvrière qui avait fait faillite à la fin de l'Empire.

Guerroyer. — L'essentiel de l'effort, le principal du budget, durent être consacrés à la lutte contre Versailles. Sur le papier, la Commune disposait de 162 651 hommes, conduits par 6 507 officiers, plus des corps francs aux noms sonnants, Vengeurs de Flourens, Lascars, Tirailleurs de la Commune... Mais les réfractaires étaient nombreux. La milice citoyenne de toute façon, fût-elle, comme dans les quartiers populaires, emplie d'enthousiasme, ne sut jamais se plier à une véritable discipline. Cluseret, délégué à la Guerre n'en vint pas à bout et fut limogé le 30 avril pour incapacité. Rossel, officier de carrière, patriote écœuré par la défaite qui était venu se ranger dans le camp « qui ne compte pas dans ses rangs des généraux capables de capitulation », ne parvint pas davantage à mettre quelque ordre dans ce laisser-aller bonhomme. Il démissionnait le 9 mai, lançant à la Commune un superbe « Je me retire et j'ai l'honneur de vous demander une cellule à Mazas », puis se cacha quelque part dans Paris.

Jamais la Commune ne disposa de plus de quelques milliers – trois, quatre dizaines ? – de combattants réels. Quelques chefs valeureux les encadraient, les Polonais Dombrowski, Wroblewski, qui avaient participé à la révolte de leur patrie contre la Russie en 1863, l'ancien garibaldien français La Cécilia. En face, Thiers, qui ne disposait au départ que de quelques régiments démoralisés, édifiait une armée avec des recrues fraîchement levées ou des prisonniers que l'Allemagne acceptait de libérer par anticipation : 170 000 hommes, dont 130 000 combattants. Il est aujourd'hui démontré qu'à ces hommes que rien ne préparait à une guerre civile, on sut en quelques semaines, par une rigoureuse discipline et une propagande efficace, forger un moral de répression qui fera largement ses preuves (R. Tombs).

Les Versaillais s'étaient emparés, le 2 avril, de Courbevoie, point névralgique de la défense parisienne. Les 3 et 4 avril, la Commune tenta en réponse cette marche sur Versailles que le Comité central n'avait pas osé décider. L'assaut, donné en trois colonnes, les « généraux » Flourens avançant par Rueil, Eudes par Viroflay, Duval par le plateau de Châtillon, mené avec trop peu d'hommes, tourna à la débandade : Flourens et Duval, faits prisonniers, étaient sommairement exécutés. C'est alors qu'en représailles, le 5 avril, la Commune prit le décret des otages.

De ce moment, Paris se retrouvait de nouveau en état de blocus, entre les Prussiens cantonnés à l'Est et les Versaillais qui avançaient à l'Ouest et au Sud. Ceux-ci avaient créé un abcès de fixation autour du pont de Neuilly. Dombrowski y résista jusqu'au bout, avec trop peu d'hommes, trop rarement relevés : 6 000 seulement tenaient tout le front.

C'est au Sud que se faisait la décision. L'objectif était la poterne du Point-du-Jour, couverte par le fort d'Issy. Les 11 et

12 avril les troupes régulières s'emparaient de Saint-Cloud, Sèvres, Meudon, Châtillon. Puis l'enjeu fut la ligne des forts : Issy, Vanves, Montrouge, Bicêtre, Ivry. Les 5 et 6 mai tombaient Clamart, Les Moulineaux, Vanves, le 8, l'église d'Issy, le 9 son fort. Le 20 mai, toutes les batteries versaillaises, du mont Valérien à Bicêtre, ouvraient un feu nourri sur l'enceinte. On était prêt pour l'hallali.

Finances. — Jourde, « bon comptable », parvint à trouver, au jour le jour, l'argent nécessaire pour faire vivre, et combattre Paris. Il disposait des recettes habituelles de la Ville, domaines, douanes du port, contributions indirectes, redevances des compagnies de chemins de fer, octroi qu'on n'avait pas supprimé malgré son impopularité. Il vécut surtout d'avances de la Banque de France, consenties par le sous-gouverneur de Plœuc, avec quelle parcimonie ! La Commune obtint de la Banque 16 765 202 F, 33 centimes, dont 9 401 809 représentaient le solde créditeur de la Ville à la Banque. Dans le même temps Versailles reçut 257,6 millions.

On fait coutumièrement grief à la Commune du « sacro-saint respect avec lequel (elle) s'arrêta devant la Banque ». Quelques-uns songèrent à s'en emparer ; le vieux Beslay, apôtre pourtant du crédit gratuit selon Proudhon, et Jourde, mirent une sorte d'acharnement à la protéger. Il semblait que Paris eût là une arme redoutable. En fait, l'encaisse métallique, seule réellement utilisable, avait été, pour l'essentiel, évacuée sur Brest en août 1870 : il n'en restait au 28 mars que pour 88 millions de francs, plus 166 millions de billets. S'en prendre à la Banque, c'était provoquer l'écroulement du fragile édifice du système parisien et français d'escompte, provoquer un effondrement monétaire national. La Commune, qui ne se voulait que de Paris, se refusait à toucher à un établissement qui appartenait au pays. Qu'eût-on fait des 899 millions d'effets à encaisser qu'elle détenait en portefeuille ? Jourde et Varlin – on le sait par la correspondance de Marx – tentèrent de négocier à Londres partie des 1 020 millions de valeurs et titres en dépôts. Il n'y eut pas d'acheteurs. Tout ce qu'on pouvait envisager, c'était, panacée (douteuse) de tous les systèmes socialistes du moment, la nationalisation, la communalisation du système de crédit, la transformation de la Banque centrale en Banque du Peuple, des associations populaires de production et de consommation. Affaire de longue haleine, affaire nationale. Le vrai problème, que résolut Jourde, était de trouver les ressources nécessaires à la survie quotidienne de la Commune. « La Banque m'a proposé de faire mes recettes, et d'offrir un crédit à la Commune. Voilà mon travail ! ».

II. — La Commune se déchire

Dès la fin d'avril, la situation militaire s'était dramatiquement assombrie. La Commune se montrait déplorablement inférieure à sa tâche ; à tout le moins manquait-il une direction sérieuse, de la lutte comme du travail de l'Assemblée.

Il y eut bien ce qu'on a appelé le « complot Rossel ». Le jeune colonel, avec le soutien de l'équipe du populaire journal *Le Père Duchêne,* l'appui de certains blanquistes, l'approbation au moins tacite de membres de l'Internationale, songea sérieusement à « neutraliser la Commune » et lui substituer une dictature qui s'appuierait sur le Comité central de la Garde nationale, diminué mais toujours existant. Le 9 mai, jour de sa fracassante démission, le Comité votait le principe d'une dictature qui lui serait confiée. On n'osa pas aller jusqu'au coup de force.

Le Comité de Salut public. — A l'Assemblée communale, « tout le monde était d'accord pour fortifier le contrôle et l'action » (Lissagaray). On divergeait sur le moyen. Le 28 avril, le vieux jacobin Jules Miot proposait, « vu la gravité des circonstances », la constitution d'un Comité de Salut public de cinq membres, « qui ne serait responsable qu'à la Commune ». Souvenir de la Grande Révolution ! il était mal venu : en 1793 il n'y avait eu que dissentiments entre le grand Comité et la Commune populaire d'Hébert, Chaumette, qui avaient fini sur la guillotine. D'autres proposaient un renforcement des pouvoirs de la Commission exécutive, un « Comité directeur », collégialement démocratique. Ce fut le conflit ; il couvait sourdement depuis les premières séances, révélant un profond clivage entre deux courants. L'un (derrière Miot et surtout Pyat) « radical » ou « jacobin » – on le dirait volontiers archaïsant, car trop verbeusement porté à invoquer l'exemple des « grands ancêtres » et les « immortels principes ». L'autre, plus réaliste, plus jeune – on y comptait les meilleurs des internationaux. On se gardera de figer les deux camps. Tous les internationaux n'étaient pas du second. Delescluze, qu'on désigne comme le chef de file de la tendance jacobine, se tenait soigneusement à l'écart. On se querella, quatre séances durant, sur le mot de Salut public plus que sur la chose. Le 1er mai, 45 membres de la Commune se prononçaient pour, 28 contre. Ceux qu'on peut désigner désormais comme la « majorité », étaient persuadés qu'on allait tout sauver en confiant la dictature à quelques-uns. La « minorité » protestait contre la « confusion des pouvoirs », l' « usurpation de la souveraineté du Peuple », le caractère mal défini des pouvoirs du Comité. On faisait facilement litière de ce « gouvernement direct » tant réclamé en bas... La minorité n'avait pas tort en tout cas de voir surtout dans la création du Comité la quête vaine d'un « mot sauveur », « talisman, amulette » (Charles Longuet), « défroque inutile et fatale » (G. Tridon, pourtant blanquiste). Courbet objectait : « Ce que nous représentons, c'est le temps qui s'est passé de 93 à 71. »

On vivait dans un irréel parfait : à situation désespérée on cherchait un remède miracle. Un premier comité (A. Arnaud, Léo Meillet, G. Ranvier, Pyat, Charles Gérardin), désigné le 1er mai ne sut rien faire d'efficace : par un ordre malencontreux que Pyat nia effrontément avoir signé, il désorganisait la défense du front sud. Delescluze, le jacobin, dénonçait alors rudement son incapacité, le 9 mai, jour de la chute du fort d'Issy : « Les mots ne sont rien... Pour la population parisienne, le Comité de Salut public, ce sont les faisceaux, c'est la hache en permanence. Votre comité est annihilé sous le poids des souvenirs dont on le charge... » Avec Varlin, la minorité demandait son abolition. Un second comité fut désigné (Arnaud, Eudes, Gambon, Ranvier, Delescluze), qui ne sut pas mieux faire. Désormais existait une fracture, inopportune, qui affaiblissait davantage encore, s'il était possible, le gouvernement communal. Le 15 mai, la majorité, devenue « fraction révolutionnaire radicale », déniait à la minorité le droit de siéger. Les membres de celle-ci répondaient par une protestation maladroite, déclarant se réfugier sur les Aventins de « nos arrondissements, trop négligés peut-être », invoquant « l'oubli des principes de réforme sérieuse et sociale », le respect de la souveraineté populaire. Le texte et le geste furent mal accueillis par ce qu'il restait de « communeux » dans la population. A l'appel désespéré de Delescluze, un semblant de réconciliation intervenait le 17. L'affaire sonnait comme le glas de la Commune. « Nous sommes, dit Lissagaray, à la période de l'immense lassitude. »

Chapitre V

LA COMMUNE, CE « SPHINX »

Œuvre mince ! Encore faut-il nécessairement tenter de jauger de l'ensemble, de ce que fut le projet communal, cette « République de la Ville » en quoi paraissait bien s'être érigé Paris.

Dès juin 1871, Marx avait posé, et résolu à sa manière, en ce style incomparable qui est le sien, la redoutable question : « Qu'est-ce donc que la Commune, ce sphinx qui tarabuste si fort l'entendement bourgeois ? »

Adresse écrite à chaud, de Londres, au nom du Conseil général de l'Internationale, *La Guerre civile en France,* nourrie d'une exceptionnelle documentation, émaillée d'intuitions souvent admirables, ne saurait être prise pour une œuvre d'« histoire immédiate ». Transfiguration (non défiguration) de la Commune, elle est l'exposé des idées de Marx, déjà exprimées vingt ans auparavant dans le *Dix-huit Brumaire de Louis Bonaparte,* sur la nécessaire extinction (abolition, dit Marx, non dépérissement) de l'État dans l'avenir communiste. Le Second Empire avait été l'hypertrophie ultime de la machine étatique, bureaucratique, centralisée. La Commune qui s'essaya à disloquer cette machine, en fut l'antithèse, « la forme politique enfin trouvée qui permettait de réaliser l'émancipation économique du travail... ». Le XXe siècle nous a appris qu'il ne s'agissait là que d'une fiction.

Les idées marxiennes sur l'État ont été appauvries, déformées, tant par les sociaux-démocrates de la IIe Internationale que par leurs adversaires léninistes de la IIIe. A aucun moment il n'est question dans *La Guerre civile* (ni dans aucun texte où Marx aborde le problème de la Commune) de « dictature du prolétariat ». C'est Engels, plus tard, qui a eu ce mot imprudent : « Regardez la Commune de Paris, c'était la dictature du prolètariat. » Marx évoque plutôt le nécessaire affaiblissement, voire l'abolition de l'État.

Toute école, toute secte socialiste a cherché à « récupérer » cette Commune exemplaire ; les marxistes ne sont pas seuls à être tombés dans le travers. Bakounine y a trouvé l'exacte réalisation de ses idées anarchistes : « La Commune s'était proclamée fédéraliste, et, sans nier l'unité nationale de la France qui est un fait naturel et social, elle nia audacieusement l'État, qui en est l'unité violente et artificielle. » A tout prendre d'ailleurs, l'interprétation du Russe n'est pas tellement éloignée de celle de Marx.

Les feux de 1871 étaient à peine éteints que les dissentiments qui avaient déchiré la Commune alimentaient d'interminables querelles entre les communards proscrits qui se renvoyaient les responsabilités de l'échec. Les uns, proscrits de Londres, concluaient à la nécessité d'une révolution « autoritaire », par la conquête de l'État. Les autres, proscrits de Suisse, « anti-autoritaires », refusaient toute action étatique ou politique, au nom de l'indispensable anarchie libératrice.

La Commune fut un sphinx, semble-t-il, tout aussi bien pour l'entendement socialiste. Trop de débats, anciens ou récents, ont contribué à voiler l'exacte signification du projet de 1871, dont on ne peut retrouver les dimensions vraies que dans les textes du moment, situés dans leur perspective réelle.

I. — Paris, ville libre

La Déclaration du 19 avril. — Il exista à coup sûr deux « sensibilités » opposées au sein de la Commune.

« Pour les uns, (elle) exprimait la première application du principe antigouvernemental, la guerre aux vieilles conceptions de l'état unitaire, centralisateur, despotique. (Elle) représentait le triomphe du principe de l'autonomie des groupes librement fédérés et du gouvernement le plus direct du peuple par le peuple... Pour d'autres (elle) était au contraire la continuation de l'ancienne Commune de 93 la dictature au nom du Peuple » (Arthur Arnould, *Histoire populaire et parlementaire de la Commune*).

Deux tendances antagonistes dont les hommes s'accordèrent néanmoins pour voter, le 19 avril, unanimement, une *Déclaration au Peuple français,* « charte », ou, comme on a dit, « testament » de la Commune.

Paris voulait « l'autonomie de la Commune étendue à toutes les localités de France... » Cette autonomie « n'aura pour limites que le droit d'autonomie égal pour toutes les autres communes adhérentes au contrat, dont l'association doit constituer l'unité française ». Toute commune voterait son budget, fixerait ses impôts, nommerait ses fonctionnaires, organiserait sa police, son enseignement, sa défense. On prévoyait « l'intervention permanente des citoyens dans les affaires communales ». Paris se réservait spécialement de « créer des institutions propres à développer et propager l'instruction, la production, l'échange et le crédit, à universaliser le pouvoir et la propriété ». Il serait la Commune sociale modèle.

Un « contrat » devait lier toutes les Communes. Sur ce point la *Déclaration* est peu explicite. « Nos ennemis se trompent ou trompent le pays..., quand ils accusent Paris de poursuivre la destruction de l'unité française constituée par la Révolution aux acclamations de nos pères, accourus à la fête de la Fédération de tous les points de la vieille France. L'unité, telle qu'elle nous a été imposée jusqu'à ce jour par l'Empire, la monarchie et le parlementarisme, n'est que la centralisation despotique, inintelligente, arbitraire ou onéreuse. L'unité politique, telle que la veut Paris, c'est l'association volontaire de toutes les initiatives locales... La Révolution communale... inaugure une ère nouvelle de politique expérimentale, positive, scientifique. »

Rédigé de plusieurs mains (le très proudhonien P. Denis, J. Vallès, Delescluze le très jacobin), le texte n'est pas exempt d'ambiguïtés. Le commentant, Lissagaray s'est montré d'une sévérité rare dans son *Histoire de la Commune* : « Paris devenait ville hanséatique... Qu'attendre des autonomies de Basse-Bretagne, des neuf dixièmes des communes françaises ? » On ne semble pas en effet, dans le Paris communaliste, avoir beaucoup pensé aux vaste monde des campagnes, inerte et silencieux, toile de fond trop oubliée devant laquelle se déroulaient, on dirait presque en surface, les événements de 1871. Le texte néanmoins mérite attention. On le comprend mieux si on l'éclaire par d'autres, parus nombreux notamment dans la presse.

La Ville libre. — Les hommes de 1871 eurent un projet politique. Peut-être n'arrivèrent-ils qu'à imaginer une sorte de « monstre constitutionnel » (W. Serman). On préférera dire qu'ils ne surent que balbutier un système: « bégayer » le mot de Commune, dit Ch. Longuet.

La Ville libre dans une France libre. P. Denis, dans *Le Cri du Peuple* du 9 avril, avait rédigé, avec un grand luxe de détails, un « projet de loi » réglant les rapports de la Ville avec le pouvoir central. Il y aurait un « territoire de Paris », s'administrant « sans aucune immixtion du gouvernement central », qui ne serait représenté que par un délégué. Paris, de son côté, enverrait des représentants aux Assemblées législatives nationales, « payant sa part dans les frais généraux de la France ».

« La Commune de Paris, était-il précisé, s'interdit toute provocation insurrectionnelle dans le reste de la France, mais se réserve de propager l'idée communale, par l'exemple et les ressources de la publicité. Le gouvernement, de son côté, s'interdit d'entraver cette propagande... »

Il fallait « constituer la Commune de telle sorte que tous les intéressés puissent exercer sur l'administration publique un contrôle sévère, y participer dans la mesure de leur faculté... ; que l'opinion publique puisse constamment se convoquer et s'exprimer lorsqu'il y sera sollicité par les circonstances (*Vengeur,* 30 avril), avec une « souveraineté incessante de l'opinion publique manifestée par la presse, par les meetings, par les syndicats, les groupes corporatifs, les ligues, les académies libres, les associations de toute sorte » (*ibid.,* 20 avril).

Proudhonien, Denis semblait renouer, en le modernisant, avec le vieil idéal de gouvernement direct qui avait été celui des sans-culottes de l'an II. Mais « Paris libre », c'était tout aussi bien la formule du jacobin Delescluze, le 18 avril :

« Paris libre dans la France libre et marchant du même pas que les départements aujourd'hui enchaînés par la terreur ou le mensonge et la réaction, Paris redeviendra le cœur et la tête de la France et de l'Europe, mais sans prétention à une suprématie qu'il désavoue et qui serait la négation de ses principes les plus chers. »

C'était celle du non moins jacobin Vésinier, qui allait très loin en un sens fédéraliste :

« Paris libre dans la France libre, c'est la France communale fédéralisée... Paris ne sera plus ce centre de condensation, de domination... qui a tenu pendant des siècles la France courbée sous le joug de la royauté, du clergé et de la noblesse. Paris sera la Washington de la France... »

Paradoxalement, c'était le proudhonien Longuet qui mettait l'accent sur la nécessaire primauté que devait conserver la capitale :

« Paris n'a pas renoncé à son rôle initiateur... Paris affranchi, Paris autonome, n'en doit pas moins rester le centre du mouvement économique et industriel, le siège de la Banque, des Chemins de Fer, d'où la vie se répande plus largement à travers les veines du corps social... » (*JOC,* 1er avril).

On ne négligeait pas tout à fait le problème des communes rurales :

« Il est bien évident qu'il ne s'agit pas d'ériger en Commune chacune des trente-six mille délimitations territoriales actuelles. Il faut entendre sous ce nom de Commune des divisions géographiques remaniées... et dotées en conséquence de toutes les conditions normales propres à assurer et à favoriser leur libre et féconde évolution... » (*Vengeur,* 24 avril).

On formerait de vastes ensembles économiques, sociaux, politiques, homogènes ; les communes rurales seraient rattachées aux villes, ou réunies en agglomérations de la taille à peu près du canton.

De quelques sources vives. — Ceci semble une utopie quelque peu abstraite : n'était-elle pas imaginée pour donner une solution à l'insoluble problème de ce Paris où la Révolution, à peine éclose, se trouvait par la force des choses, recluse ? Mais l'idée d'une France communalisée est vivace au XIXe siècle, puisant à de multiples sources. Proudhon récemment : de lui ce projet d'une commune qui

« comme l'homme, comme la famille, comme toute individualité et toute collectivité intelligente, morale et libre, est un être souverain » (*Capacité des classes ouvrières,* 1865). De lui le projet de pacte où « les contractants s'obligent synallagmatiquement et commutativement... (se réservant) plus de droits, d'autorité, de liberté et de propriété qu'ils n'en abandonnent » (*Du Principe fédératif,* 1863), comme celui de la recomposition d'une France libre : « Supposons cette belle unité française divisée en trente-six souverainetés, d'une étendue moyenne de 6 000 km^2, et de 1 million d'habitants » *(Capacité).*

Et surtout l'idée décentralisatrice, voire déjà clairement « communaliste » trouve son origine dans les réflexions des « communistes » ou « collectivistes » français des années 1840, pour qui, si la révolution sociale doit égaliser les conditions, la parade politique aux restrictions inévitables des libertés individuelles que les contraintes égalisatrices ne manquent pas d'entraîner est à chercher du côté d'un affaiblissement maximal du rôle de l'État, du pouvoir central, et du développement maximal en contrepoint de la démocratie directe : soit une « anarchie » bien tempérée. L'égalité ne saurait être que librement consentie et organisée. C'est le problème que reprend Marx en 1871, à sa manière.

Que sont d'autre les phalanstères, fouriériste, considérantiste, les communautés icariennes, que de premières communes ? Pour le communiste Dézamy, « La communauté est le mode naturel et parfait de l'association. Cet idéal ne peut être réalisé que lorsque des groupes humains de 10 000 personnes habiteront chacun dans un palais communal. Chaque commune jouira de son autonomie. Les communes fédérées formeront la Nation et les nations fédérées l'Humanité. L'État politique fera place à une simple administration, à la tête de laquelle se trouvera un chef de comptables» (1842). Ou Pecqueur: «L'État politique disparaîtra graduellement pour faire place à l'organisation économique des fédérations égalitaires des travailleurs solidarisés d'Europe d'abord, puis de toutes les parties du monde.» Pour Pierre Leroux, «le même principe qui organise l'atelier organise la Commune et l'État».

Cette idée, elle est tout particulièrement chez un J.-H. Colins, mort obscurément à Paris en 1858, qui avait conçu un «collectivisme» reposant sur l'appropriation sociale du sol, et sur une hiérarchie de communes, «cités premières, familles collectives élémentaires..., cités collectives de premier ordre», qui s'ordonnent en arrondissements, départements, puis en nations pour couvrir enfin tout le globe. Ignoré des Français, Colins a eu une profonde influence sur le socialisme belge, qui à son tour a réintroduit en France son système, repensé, adapté, chez les militants de l'AIT.

A l'Hôtel de Ville siégeaient les meilleurs des internationaux. Ils avaient été élevés à l'école de Proudhon. Mais, dans le domaine politique comme dans le domaine social, ils s'étaient essayés à l'actualiser, se posaient concrètement le problème de l'État (ou du non-État) de l'avenir, de la forme démocratique à trouver de «l'émancipation économique des classes ouvrières, grand but auquel tout mouvement politique doit être subordonné comme un simple moyen», comme disent les statuts de l'AIT. La guerre avait empêché que se tînt à Mayence, en 1870, un Ve Congrès de celle-ci où l'on devait évoquer le problème des «rapports entre l'action politique et le mouvement social». On a dit que quelques-uns avaient (partiellement) entendu les leçons anarchistes d'un Bakounine. La majorité, d'abord les Parisiens, se sentaient plus proches du collectivisme des Belges (César de Paepe, Eugène Hins) qui reprenaient l'idée de commune «cité première», insistant en revanche sur la nécessité d'une collectivité nationale économiquement une, politiquement très lâche. Au Congrès de Bâle, après avoir évoqué la Commune comme groupement nécessaire des diverses corporations de métier par ville, le délégué Pindy ajoutait :

« Ce mode de groupement devient un agent de décentralisation, car il ne s'agit plus d'établir dans chaque pays un centre commun a toutes les industries, mais chacune aura pour centre la localité où elle est le plus développée : par exemple pour la France, tandis que les houilleurs se fédéreraient autour de Saint-Étienne, les ouvriers en soieries le feraient autour de Lyon, comme les industries de luxe à Paris. »

La réflexion sur l'État n'était qu'à l'état d'ébauche ; la Révolution de 1871 prenait les Internationaux de court. Ils s'étaient ralliés à la solution communale esquissée par d'autres : « La seule issue ouverte devant nous, c'est la Fédération des Communes de France ; toute autre route nous est fermée maintenant : il faut commencer par la Commune de Paris. » (*La Révolution politique et sociale,* 9 avril). A la condition de lui donner des bases économiques réelles.

II. — **Dictature des « dignes prolétaires »**

On notera ici une influence dont on s'accorde aujourd'hui à souligner l'importance majeure dans le mouvement républicain à la fin de l'Empire : celle du comtisme. C'est à la lettre qu'il faut prendre l'évocation dans la *Déclaration* de l'inauguration d' « une ère nouvelle de politique *expérimentale, positive et scientifique* ». Paris proposait l'expérimentation d'un système qu'on peut situer dans le droit fil des propositions de Littré, au nom de Comte, en 1848, puis en 1851, dans *Conservation, Révolution, Positivisme.* Pour Comte, c'est à Paris, ville du vrai prolétariat, que se dévoile le sens de l'Histoire.

« Ce n'est pas autre chose que de reconnaître un fait. Depuis que nous sommes en Révolution, Paris a toujours défait et refait les gouvernements... Paris n'est point une ville particulière qui ait sa population à soi : il reçoit ses habitants de tous les points du territoire, il inspire cet esprit de généralité, de sage impartialité, d'énergique résolution qui est le privilège de la glorieuse capitale... Qu'y a-t-il à faire pour la politique positive, sinon de reconnaître cette inévitable attribution et de la régulariser ? »

Paris, par définition expérimentale, est modèle directeur. En 1848, Littré (il reniera ces propos en 1871) prônait une nécessaire dictature des « dignes prolétaires » parisiens. Les hommes de 1871 n'allèrent pas si loin, qui voulurent ne prêcher que d'exemple. Mais chez l'un et chez les autres, une classe neuve donne désormais son sens au progrès.

« Chaque classe, dans le monde moderne, a été révolutionnaire à son tour... Les rois ont été longtemps les moteurs du mouvement. Puis est venu le tour des bourgeois... Suffisant à mener à bien la partie de notre régime transitoire, ils ne le sont plus pour la partie positive... Elle exige un sentiment de la sociabilité ne se trouvant aujourd'hui que chez ceux que leur nombre, leur pauvreté et leur dégagement de la plupart des préjugés métaphysiques appellent à ce rôle. »

De ces lignes de Littré, on peut rapprocher le retentissant article paru dès le 21 mars, au *Journal officiel* de la Commune.

« Les prolétaires de la capitale... ont compris que l'heure était arrivée pour eux de sauver la situation en prenant en main la direction des affaires publiques... La bourgeoisie, leur aînée, qui les a précédés dans la voie de la révolution, ne comprend-elle pas que le tour de l'émancipation du prolétariat est arrivé ? Elle a accompli la tache qui lui avait été imposée en 89... Le prolétariat a compris qu'il était de son devoir impérieux et de son droit absolu de prendre en mains ses destinées et d'en assurer le triomphe en s'emparant du pouvoir. »

Non pas bien improbable dictature marxiste du prolétariat ; bien plutôt dictature exemplaire des dignes prolétaires de la capitale, annoncée par Comte depuis deux décennies : celle qui allait permettre enfin l'entrée dans l'âge d'une politique positive.

III. — Relecture du jacobinisme

Les « jacobins » de la Commune votèrent tout aussi bien la *Déclaration,* sans réticences. On se méprend sur la nature du jacobinisme, sur ce qu'il représente en 1871, quand on le réduit au projet d'une dictature autoritaire du seul Paris imposant sa volonté à la France. Sous la Révolution, la politique de Salut public avait été politique d'exception, imposée par des circonstances d'exception. On n'oubliera pas pour autant combien fut grand le souci décentralisateur des hommes de l'an I, qu'on retrouve constamment dans la Constitution de 1793, celle qu'on avait placée dans l'arche sainte :

> « Il y a dans chaque commune de la République une administration municipale, dans chaque district une administration intermédiaire, dans chaque département une administration centrale... Les officiers municipaux sont élus par les assemblées de commune. Les administrateurs sont nommés par les assemblées électorales de département et de district. »

Le grand discours prononcé par Robespierre le 11 mai 1793 à la Convention est pieusement conservé dans toutes les mémoires républicaines : réimprimé en 1831, en 1836 par Buchez et Roux dans leur *Histoire parlementaire de la Révolution,* en 1840 par le communiste Laponneraye, récemment repris par Ernest Hamel dans sa grande *Histoire de Robespierre* (1866), bréviaire de tout bon jacobin de 1871, et qui le cite longuement en avril, dans *Le Mot d'Ordre* :

> « Fuyez la manie ancienne des gouvernements de vouloir trop gouverner. Laissez aux communes, laissez aux familles, laissez aux individus... le soin de diriger eux-mêmes leurs propres affaires en tout ce qui ne tient point essentiellement à l'administration générale de la République. En un mot, rendez à la liberté individuelle tout ce qui n'appartient pas naturellement à l'autorité publique, et vous aurez laissé d'autant moins de place à l'ambition et à l'arbitraire. »

C'étaient les Thermidoriens, non les Montagnards qui avaient fait disparaître l'institution de la première

Commune de Paris le 19 vendémiaire an IV, supprimant ces franchises que Paris ne retrouvera pas avant nos jours. Sur ce caractère trop oublié du jacobinisme décentralisateur, les républicains radicaux venaient, depuis 1850, de remettre fortement l'accent. En octobre 1851, Renouvier, Fauvety, le communiste lyonnais Joseph Benoît, quelques autres, avaient publié un projet de *Gouvernement direct, Organisation communale et centrale de la République*. Ils proposaient la reconstruction d'une France de 2 000 « communes émancipées », administrées chacune par une assemblée élue annuellement :

« Il est moins question d'administrer que de s'administrer. Lorsque chaque commune fera elle-même ses propres affaires, l'administration centrale (une assemblée de 900 "mandataires") ne sera plus obligée d'entrer dans ces mille détails où elle se perd aujourd'hui. »

En 1851 toujours, en son exil londonien, Ledru-Rollin retrouvait les vertus d'un gouvernement réellement direct. Son compagnon Delescluze bâtissait déjà un projet d'organisation de la Nation décentralisée à l'extrême, reposant sur la Commune, puis le département, qui auraient tous pouvoirs de voter leurs budgets, nommer leurs fonctionnaires ; les maires élus des communes – circonscriptions de 15 à 20 000 habitants – seraient renouvelés chaque mois. Rien d'étonnant qu'il ait pu mettre pour partie la main en 1871 à la *Déclaration au Peuple français.*

L'idée communale ne surgit pas brusquement : elle naît au terme d'une longue réflexion républicaine et socialiste. Pas davantage n'est-elle fille de telle unique école : la *Déclaration* est un compromis qui se situe à la jointure de projets fédéralistes et d'une décentralisation jacobine enfin réalisée, pour constituer une République idéale, libertaire en même temps que sociale.

Chapitre VI

VIVRE A PARIS EN FLORÉAL

Brève – quelques semaines –, la Commune fut aussi, de gré ou par la force des choses, un événement condensé, ramassé en un espace restreint et original : les horizons étroits de la ville. Minceur du fait, doublée, pour l'historien, d'une grande pauvreté des sources ! Pour d'autres, sociologues des Révolutions, c'est au contraire tout avantage. Paris est lieu, « laboratoire » d'une « expérience de physique sociale », dont l'étude, pour qui veut restituer les travaux et les peines de la Révolution de 1871, au quotidien, sera d'autant plus fructueuse. « La Commune se confond avec l'idée de Révolution » (Henri Lefebvre). L'historien se doit de reconnaître l'apport de cette approche neuve ; d'en marquer aussi les limites.

I. — Sociologie du quotidien révolutionnaire

Libertés de la Ville. — Pour ceux, lointains et haineux, qui se sont rangés dans le camp de Versailles, ce qui se déroule à Paris ne peut être – cliché oblige – que le déchaînement de l'orgie rouge, « un forfait exécrable, une envie furieuse, une crise d'épilepsie sociale... » (Maxime du Camp). En revanche, amis ou hostiles, ceux qui ont été des témoins directs s'accordent à décrire une atmosphère, dans la Ville, de paix, de tranquillité, de calme retrouvés.

Vallès a des mots de poète : « Le murmure de cette révolution qui passe, tranquille et belle, comme une rivière bleue... » Courbet : « Point de police, point de sottise, point d'exaction d'aucune façon, point de dispute... C'est un vrai ravissement : tous les corps d'état se sont établis en fédération et s'appartiennent... » Ceux-ci sont partiaux ; mais un Guéniot, peu suspect de complicité : « On ne cessa pas de jouir d'une réelle tranquillité... Le dimanche, sans changer leurs habitudes paisibles, les Parisiens se livraient à leurs promenades familières... » Ou, neutre, Zola observant, par une belle journée de mai, « aux Tuileries, les femmes brodant à l'ombre des marronniers, tandis que, là-haut, du côté de l'Arc de Triomphe, des obus éclatent ».

Paix d'une ville délivrée, qui *s'appartient* – pour reprendre le mot de Courbet –, qui s'est reconquise. Significative cette réappropriation des Tuileries. Le 18 mars, les prolétaires exilés des quartiers extérieurs avaient repris possession, avec l'Hôtel de Ville, du vieux Paris central. C'est au tour du Palais impérial, lieu et symbole du despotisme. Les jardins des Tuileries furent ouverts au Peuple le 24 mars, le Palais le 4 mai : on y entrait pour dix sous : « Le Peuple souverain est reçu en souverain dans son Palais. »

Calme d'un quotidien qui peut redevenir banalité. Le 7 avril se tint l'habituelle foire aux Jambons, boulevard Richard-Lenoir. Les jours saints, Pâques, le 9 avril, furent célébrés dans une relative indifférence. Le 17 avril rouvrait le Louvre, le 22 la Bibliothèque nationale ; le Peuple, ici encore, pénétrait librement. La Bourse fonctionnait, et, le 27 avril, les contrevenants se faisant trop nombreux, il fallut réitérer la vieille interdiction de pêcher dans la Seine.

Quotidienneté que rythment les fêtes, inséparables de la Révolution. Ce fut fête que la proclamation, le 28 mars, de la Commune.

« La Commune est proclamée dans une journée de fête révolutionnaire et patriotique, pacifique et joyeuse, d'ivresse et de solennité, de grandeur et d'allégresse, digne de celle qu'ont vues les hommes de 92, et qui console de vingt ans d'Empire, de six mois de défaite et de trahison... C'est aujourd'hui la fête nuptiale de l'idée et de la République... » (*Cri du Peuple,* 30 mars).

Fêtes funèbres que les obsèques des morts des premiers combats ; des membres de la Commune les conduisaient solennellement de la Bastille au Père-Lachaise. Fêtes rituelles, comme fut, le 16 mai, la démolition de la colonne Vendôme :

« Considérant que la colonne impériale de la place Vendôme est un monument de barbarie, un symbole de force brutale et de fausse gloire, une affirmation du militarisme, une négation du droit international, une insulte permanente des vainqueurs aux vaincus, un attentat perpétuel à l'un des trois grands principes de la Révolution, la Fraternité... »

Geste donc lourd d'idées. Pour le Peuple, il n'existe, on l'a dit, qu'une colonne, celle de la Bastille, dédiée à ses martyrs. L'autre est la colonne des oppresseurs, « colonne lourde et bête portant au ciel un faux César aussi odieux que le vrai » (*Cri,* 18 mai). On parla de détruire la chapelle « dite expiatoire » de Louis XVI, « insulte permanente à la première Révolution et protestation perpétuelle de la réaction contre la Justice du Peuple ».

La destruction, le 15 mai, de la maison de Thiers, fut non moins fortement symbolique : on frappait « l'hôtel du parricide ». Sur le terrain on édifierait un square public ; le linge irait aux ambulances, les objets, livres précieux aux bibliothèques et musées communaux. Le mobilier serait vendu aux enchères au profit des veuves et orphelins des morts pour la République.

Fêtes que les concerts donnés au bénéfice des blessés, veuves et orphelins. Les théâtres, au contraire, étaient à peu près vides. Grand concert, le 6 mai, au Palais des Tuileries « servant pour la première fois à une œuvre patriotique » : Mme Bordas y chanta *La Canaille,* après, il est vrai, *Bonheur des champs,* chansonnette. Concerts du 21 mai, aux Tuileries, au

Théâtre du Château-d'Eau, au Cirque national – le jour où les avant-gardes versaillaises entraient dans la Ville, Paris chantait.

De la spontanéité. — L'historiographie de la Commune a longtemps privilégié une vision *d'en haut* des événements : actes du Comité central, de la Commune. On procède aujourd'hui tout au contraire, cherchant à scruter au plus près les comportements, les sensibilités du Peuple en révolution. C'est à ce niveau que se sont placés les sociologues, qui ont élaboré plusieurs « catégories » pour une étude de la « quotidienneté » populaire, celle surtout, fondamentale selon eux, de la spontanéité.

On peut l'entendre en son sens commun d' « effervescence sociale en actes ». Le récit qu'on en a fait le montre, le 18 mars fut parfaitement spontané. Spontanée, la création de la Fédération de la Garde. On y retrouve les étapes du processus décrit par J.-P. Sartre dans *Critique de la raison dialectique* ; naissance (brusque) à partir d'une *masse* inorganique, d'un groupe ordonné autour d'un *projet* et qui scelle le moment de sa formation par la prestation d'un *serment* ; ainsi le 10 mars : « Jurons de tout sacrifier à nos immortels principes. La République française d'abord, puis la République universelle. »

« Spontanéité » se prend encore en un sens plus élaboré : « manière d'être de la révolution dans sa quotidienneté créatrice d'événements et d'idées » (A. Decouflé). La Commune « fut d'abord une immense et grandiose fête... ; un pari vital et absolu sur le possible et l'impossible ». « Vitalité » qui ne se situe pas « sur le plan des idéologies élaborées, mais sur celui d'une conscience sociale directement insérée dans la praxis » (H. Lefebvre). L'étude de la spontanéité populaire supposerait une analyse sociohistorique d'une extraordinaire acuité, à la poursuite de « la reconstruction de rapports sociaux au sein de cadres nouveaux, de la nostalgie de l'anarchie vague et exaltante de la révolution, de la confiance naïve et inconsciente dans le génie créateur d'une population en mouvement..., du fatalisme et du millénarisme... inexprimés chez le plus grand nombre » (A. Decouflé). Recherche qui rejoint l'histoire des mentalités chère à l'historien. A celui-ci toutefois, la quête illimitée de l'informulé, de l'inconscient, de l'insaisissable, paraît démesurée. Aussi bien les sociologues n'y sont-ils pas réellement parvenus, et l'idée que la Commune fut « fête » doit être maniée avec une très grande prudence.

Ils ont néanmoins mis heureusement en relief le caractère profondément libertaire de la révolte populaire. Le Peuple redécouvre sa souveraineté « native », « absolue » (sans limites) et « diffuse » (revendiquée par tous à la fois, contradictoirement). Cette redécouverte, en 1871 comme en toute Révolution, ne peut qu'aboutir à mettre le Peuple en conflit avec ceux qu'il institue comme « gérants » de sa révolution ; ceux-ci tendent à accaparer toute souveraineté. Très tôt il est apparu que la Commune perdait en effet contact avec la réalité populaire : d'où ce caractère qu'on a montré de machine idéologique, bureaucratique, tournant abstraitement à vide. Inversement, la spontanéité populaire a ses dangers : « Spontanément, la spontanéité est anarchisante » (H. Lefebvre). Il fut impossible de mettre un ordre quelconque dans le joyeux désordre de la Garde nationale. Contradiction inévitable, bien aperçue par un témoin : « Rêver de discipliner cette fantasia guerrière, de hiérarchiser ces égaux, n'est-ce pas vouloir qu'une révolution populaire ne soit plus une révolution populaire ? »

Spontanéité et sociabilité : les clubs. — Nullement « rebelle à toute forme d'organisation », la spontanéité, au contraire, « s'apprécie en termes de capacité à engendrer des formes spécifiques d'organisation » (A. Decouflé). L'historien se retrouve en terrain mieux connu, celui de la sociabilité, de l'étude des hommes dans leurs groupements naturels, dont certains apparaissent bien en effet en lumière en période de liberté révolutionnaire.

La forme de sociabilité populaire par excellence, c'est le bataillon de la Garde nationale, qui groupe les habitants de maisons et de rues voisines. « Chaque bataillon, chaque compagnie avait fini par former une petite ville ou une petite république, ayant ses délibérations, nommant ses officiers et ses délégués, soumise à la vie fiévreuse de la grande crise » (Camille Pelletan). Au comité de compagnie ou de bataillon, on élit, plus souvent encore on destitue les chefs... On parle beaucoup, on boit, on se querelle ; on a moins d'ardeur s'il s'agit de partir au combat. A ce niveau, on voit au vrai surtout ceci, qu'à partir du moment où la Fédération s'institutionnalise, la hiérarchie des délégués, sous-comités, comités se mue à son tour en bureaucratie ; ici encore, des « gérants » se plaçaient au-dessus du Peuple.

Forme plus politisée de sociabilité, les clubs. Ceux-ci s'étaient multipliés pendant le Siège. Interdits en février, ils reprennent vie en avril : ils vont être un immense défouloir. On en dénombre une cinquantaine – le mouvement a sensiblement moins d'importance qu'en 1848. Ils s'installèrent, fin avril, préférentiellement dans les églises, édifices publics réappropriés par le Peuple, et débaptisés. Club (Saint-)Jacques du Haut-Pas, ou Séverin, Sulpice, Germain-l'Auxerrois (désormais des Libres Penseurs), Eustache (siège du Comité des Vingt arrondissements), Leu, Éloi, Nicolas-des-Champs, dans le Paris central. Dans le XIe, Ambroise, avec sa filiale Marguerite, devenus Club des Prolétaires. Le Club Michel, de la Révolution sociale, réunissait les internationaux des Batignolles ; à Montmartre, le Club Bernard, de la Révolution, était animé par les blanquistes. Les femmes se retrouvaient à la Trinité (Club de la Délivrance), ou à Lambert- de-Vaugirard (Club des Femmes patriotes)... Le seul Club Ambroise eut assez d'importance pour faire paraître un journal, *Le Prolétaire* (quatre numéros du 10 au 24 mai). Une tentative de fédération des réunions populaires autour du Club Nicolas-des-Champs et de son éphémère *Bulletin communal* (6 mai) resta sans lendemain.

Cette réappropriation « spontanée » des « boutiques à messe » désigne celui qui est l'ennemi le plus détesté du communard : le prêtre, « marchand de religion », « l'homme noir ». En 1848 le Peuple, un moment, avait été respectueux d'un catholicisme charitable. Vingt ans d'alliance ostentatoire de l'Église et de l'Empire, une vigoureuse campagne de libre pensée républicaine ont suscité, ou mieux fait resurgir un vieux tréfonds d'anticléricalisme populaire, qui n'est pas loin de tourner à la déchristianisation. On s'en prend à l'« infâme » catholicisme, et surtout à « l'exécrable compagnie inventée par Loyola ». Au Club des Femmes patriotes, à l'ordre du jour : « De la pernicieuse influence des religions ; des moyens à prendre pour la détruire. »

Ennemis au même titre, puisque instruments privilégiés de la « tyrannie », la magistrature, « ces misérables en robe que nous payons », les armées permanentes, « foyers de paresse », les roussins, sergents de ville devenus pourtant, avec la République, de tranquilles « gardiens de la paix ».

Se développe dans les clubs un communisme élémentaire, que résume bien le vieil axiome que « la propriété c'est le vol ». Ennemis quotidiens du Parisien de 1871, M. Vautour, son propriétaire, et le concierge son auxiliaire, M. ou Mme Pipelet. Ennemis les boutiquiers ou les épiciers, accapareurs de subsistances et qui ont spéculé sur la faim du Peuple pendant le Siège. Plus généralement, tous ceux qui se sont mis au-dessus, hors du Peuple. Les riches : « Pour faire monter le pauvre, il faut abaisser le riche » ; les employés, de bureau ou de boutique, « courtauds » (courstôt) ou « chieurs d'encre », qui abandonnent la condition populaire. Les « petits crevés », « fumeurs de cigarettes », oisifs, réfractaires au service de la Garde nationale, qui regardent, des terrasses des cafés, les gens du Peuple avec « morgue » ou « hauteur », s'appellent entre eux « Messieurs » et non « Citoyens »... On hausse le ton pour dénoncer les parasitismes, monopoles et privilèges des grandes compagnies industrielles, de chemin de fer ou de banque. Le patron en revanche, l'artisan de bourgeoisie populaire, ne sont nullement des adversaires : on les côtoie quotidiennement au club ou au bataillon. On s'en prend seulement à quelques gros entrepreneurs « prélibateurs », de confection ou de chaussure, qui ont confisqué pendant le Siège les bénéfices de l'équipement de la Garde, au détriment des associations de cordonniers ou de tailleurs.

Ce que veut surtout le Peuple des clubs (on retrouve ici les conclusions du sociologue), c'est l'exercice dans sa plénitude de sa souveraineté retrouvée : surveiller, contrôler les actes de ses « mandataires », aiguillonner ceux-ci si nécessaire, les révoquer s'ils manquent à leurs devoirs. « L'élu doit toujours être prêt à rendre des comptes de ses actes à ses électeurs, afin d'être constamment en communion d'idées avec eux » (*Le Prolétaire,* 10 mai) : rôle que ne sut pas tenir l'Assemblée communale, qui refusa que ses séances soient publiques. « Ce dont se plaint le peuple, c'est du secret dont la Commune entoure ses actes... »

Dans sa conduite quotidienne, le révolutionnaire doit être « énergique ». Il doit de même être « vertueux » : « Mort aux voleurs ! », c'est le mot d'ordre de toute Révolution. Pas de réunion publique qui n'exige la suppression « immédiate » de la prostitution, l'arrestation des ivrognes... Les sociologues ont commodément défini les trois catégories qui constituent la « quotidienneté » populaire ; la *violence* : on multiplie perquisitions, arrestations, on veut « dresser la guillotine sur toutes les places », « comme en 93 », « fusiller tous les riches » ; la *vigilance* : le Peuple est perpétuellement mobilisé : « Faisons-nous gendarmes, entrons dans toutes les maisons et les boutiques... Veillez le clergé, faites sonder les églises... ». Tout cela dans un climat de *bonhomie* : la violence reste verbale ; ces hommes qui voulaient « faire tomber cent mille têtes » étaient aussi ceux qui, le 9 avril, brûlèrent, place Voltaire, en une fête solennelle, la guillotine, instrument « de terreur et de répression ».

Mémoire. — Moins que de « spontanéité », l'historien parlerait ici de mémoire : la prodigieuse mémoire du Paris populaire. Le parler qu'on entend dans les clubs fleure bon et fort les senteurs de 92 ou 93. On vit au temps du calendrier révolutionnaire. La Commune s'est instaurée le 7 germinal, s'épanouit en floréal, meurt début prairial : elle n'aura pas de messidor. On a dit qu'à l'Hôtel de Ville on plagiait souvent, et mal, l'an II. C'est avec un parfait naturel au contraire qu'en bas le Peuple retrouve les mots, les gestes, les thèmes d'un passé à peine centenaire : déchristianisation, haine du riche, de l'oisif, de l'accapareur, révolte contre la « tyrannie »... Mémoire transmise par les lieux, les pierres de la Cité, constamment ravivée par ces révolutions qui reviennent à rythme cyclique : 1830, 1848... Symbole, entre autres, de cette continuité, le personnage d'un Delescluze : commissaire de la République en 1848, proscrit de 1849, bagnard de l'Empire, il aurait participé déjà, le 6 juin 1832, aux émeutes du Cloître Saint-Merry. L'ouvrier relieur Adolphe Clémence, de l'Internationale, est le petit-fils d'un compagnon de Babeuf ; Camille Barrère, lieutenant d'artillerie dans la Garde nationale, collaborateur des journaux *La Sociale*, *L'Affranchi*, celui du membre du grand Comité de Salut public.

Mémoire transmise par l'Histoire, orale ou écrite. La tradition babouviste a été pieusement conservée par les blanquistes. Gustave Tridon a réhabilité en 1864 *Les Hébertistes.* Membre de la Commune, journaliste, Vermorel avait réédité en 1866 et 1867 les *Classiques de la Révolution,* Robespierre, Danton, Marat, Vergniaud, Saint-Just... On a dit combien la jeune génération républicaine de l'Empire s'était nourrie aux sources vives de la Révolution : on était montagnard, girondin, dantoniste, robespierriste. L'homme du Peuple en a sûrement entendu des échos : il est, pour sa part, résolument du camp de la Montagne.

Un texte majeur, porté tout un siècle par la tradition républicaine, est dans toutes les mémoires populaires : la *Déclaration des Droits de l'Homme et du Citoyen,* dans sa version d'avril 1793, celle qui avait été proposée par Robespierre :

« XVII. Le Peuple est souverain ; le gouvernement est son ouvrage et sa propriété : les fonctionnaires publics sont ses commis... XXXI. Les fonctions publiques ne peuvent être considérées comme des distinctions, mais comme des devoirs publics... XXXVI. Les rois, les aristocrates, les tyrans sont des esclaves révoltés contre le souverain de la terre, qui est le genre humain... »

Le Peuple de 1871 a repris les mêmes mots :

« L'État, c'est le peuple se gouvernant lui-même... Les fonctionnaires de la République doivent être responsables à tous les degrés et de tous leurs actes... »

« Serviteurs du Peuple, ne prenez pas de faux airs de souverains, cela ne vous sied pas mieux qu'aux ilotes auxquels vous avez succédé... Ne vous pressez donc pas de juger et de décider au nom du Peuple. Restez dans votre rôle de simples commis. » (*Le Prolétaire,* 19 mai).

« Ni Dieu, ni César, ni tribun », dira l'*Internationale ;* « Paix entre nous, guerre aux tyrans. »

Sociabilité ouvrière : l'avenir. — A un niveau plus élaboré de sociabilité, se placent réunions et associations ouvrières. « Sociabilité » est l'un des mots clefs du temps. On le trouve sous la plume d'un Proudhon annonçant les neuves « capacités » ouvrières. La sociabilité, ou socialité, est le fondement de toute morale positive : le mouvement ouvrier l'a reprise à son compte.

« Les sociétés ouvrières, écrit Varlin, sous quelques formes qu'elles existent... ont cet immense avantage d'habituer les hommes à la vie de société et de les préparer ainsi pour une organisation sociale plus étendue..., à s'occuper de leurs affaires, à raisonner de leurs intérêts..., toujours du point de vue collectif. Il y a par ce fait du développement de la sociabilité de quoi les faire recommander toutes par les citoyens qui aspirent à l'avènement du socialisme... » (*Le Travail,* 31 octobre 1869).

Ici cependant, comme dans le cas des clubs, rien en 1871 qui puisse être comparé en ampleur au puissant déferlement social des premiers mois de 1848. En progrès constants jusqu'au début de 1870, le mouvement ouvrier parisien, déjà décimé par la répression impériale, avait vu ses forces se diluer pendant le Siège. L'Internationale commence à peine à reprendre haleine. Elle poursuit la reconstitution de ses sections de quartier et des Chambres syndicales, cellules dont la combinaison permettrait la construction de la société de l'avenir.

Il est difficile d'évaluer ses forces réelles. On dénombre vingt-huit sections actives en mars ; trois nouvelles s'y ajoutent en avril, quatre en mai. Celle de la Gare d'Ivry et Bercy parvient à faire paraître, du 2 avril au 13 mai, sept numéros du journal *La Révolution politique et sociale* : il entame une réflexion approfondie, trop tôt interrompue, sur le problème de la forme que prendra le nouvel état communal, sur les bases du *Contrat social* de Rousseau.

Commencent à renaître les Chambres syndicales : Ébénistes, Tapissiers, Bijoutiers, Lithographes, Chaudronniers, Boulonniers, Cuir... Seules retrouvent une réelle vigueur celles qui ont pu rassembler leurs militants autour de coopératives : celle des Mécaniciens a un atelier de pièces d'artillerie au 75 de la rue Saint-Maur ; les Fondeurs en suif se sont installés aux abattoirs de la Villette ; celles des Tailleurs et des Cordonniers ont des ateliers coopératifs dans plusieurs quartiers. On sait le rôle qui leur était dévolu par la Commission du Travail.

L'Union des femmes. — Comme en toute révolution, les femmes – en vérité quelques groupes de femmes révolutionnaires – tinrent un rôle d'avant-garde. C'est peut-être dans leurs clubs qu'on entendait les propos les plus avancés : « Plus de patrons qui considèrent l'ouvrier comme une machine à produire... Les ateliers dans lesquels on vous entasse vous appartiendront, les outils qu'on met entre vos mains seront à vous... » (Club de la Délivrance)

Quelques grandes militantes de l'Internationale, la relieuse Nathalie Lemel, la révolutionnaire russe Élisabeth Dimitrieff créaient une *Union des Femmes pour la Défense de Paris et les soins aux blessés.* Les femmes se faisaient en effet cantinières, ambulancières. *L'Union* fut en vérité bien davantage : elle est ouvrière, révolutionnaire, acclamant

« la révolution sociale absolue, l'anéantissement de tous les rapports juridiques et sociaux existant actuellement, la suppression de tous les privilèges, de toutes les exploitations, la substitution du règne du travail à celui du capital, en un mot l'affranchissement du travailleur par lui-même... » (6 mai).

Elle appelait, le 17 mai, au « groupement des ouvrières en sections de métiers formant des associations productives libres, fédérées entre elles », le 20, à la « constitution définitive des Chambres syndicales et fédérales des Travailleuses... ». Elle faisait fonctionner des ateliers de couture, de broderie, tentait d'ouvrir des écoles. Elle fut la branche féminine de l'AIT : « Tout membre d'une association productive de l'Union est par là même membre de l'Association internationale des Travailleurs. » Primauté est donnée à la révolution sociale. Et on ne voit pas alors de femmes revendiquer, comme cela avait été le cas en 1848, un droit de suffrage que leurs compagnons révolutionnaires leur auraient à coup sûr refusé.

La presse populaire. — Paris avait retrouvé, dans l'allégresse, la liberté d'écrire. Liberté pour les feuilles populaires, mais étroite surveillance pour les journaux adverses ; dès le 21 mars, le Comité central avait interdit les trop versaillais *Gaulois* et *Figaro* ; d'autres, modérées, s'abstinrent d'elles-mêmes de paraître ; une dizaine furent interdites en avril et mai.

Outre *L'Officiel* (qui continua de porter le nom de *Journal officiel de la République*), la Commune eut six grands journaux révolutionnaires : le *Cri du Peuple,* de J. Vallès ; *Le Père Duchêne,* d'Eugène Vermersch ; *Le Vengeur,* de Pyat ; *La Commune,* de Millière et Georges Duchêne ; *Paris Libre,* de Vésinier ; *La Sociale,* d'André Léo. De multiples petites feuilles n'eurent qu'une existence éphémère. Mémoire encore ! A l'exemple du *Père Duchêne,* plusieurs avaient repris de grands titres d'antan : *La Montagne,* devenue *Le Salut public, L'Affranchi, L'Ami du Peuple, Le Bonnet rouge*... Quelques-unes se voulaient théoriques : *Le Fédéraliste, L'Indépendance communale*... Elles avaient un moindre succès que *Les Confessions d'un séminariste breton, ou Les Révélations d'un curé démissionnaire*... au parfum scandaleux.

Proudhonienne, *La Commune,* et *Le Vengeur,* jacobin, théorisaient tour à tour sur le thème de l'autonomie communale. Le journal le plus lu – son tirage variait de 50 à 100 000 exemplaires – était *Le Cri du Peuple,* grâce aux vibrants éditoriaux de Vallès. Le plus apprécié du public populaire était sans aucun doute *Le Père Duchêne,* dont la verve populacière, même si elle ne retrouve pas la force de la feuille d'Hébert, n'est pas sans saveur. Il tirait (on a retrouvé ses comptes) à 50 ou 60 000. 68 225, le 2 avril, pour sa « Grande Joie de voir que les jean-foutres de traîtres ont reçu une pile et que les patriotes s'en vont à Versailles pour foutre une fessée aux gredins de la ci-devant Assemblée nationale » : grande joie prématurée ! 55 000, le 26, « jour de grande colère contre les jean-foutres de propriétaires »... Lui aussi violent (il fit quatorze Grandes Colères), vigilant (il proposa huit Grandes Motions, donna six Bons Avis), et bonhomme (il eut sept Grandes Joies), il était un écho direct des aspirations populaires ; « conversation à bâtons rompus avec le peuple ». Il excellait dans les diatribes contre les « calotins », la « jean-foutrerie qui nous a foutu si longtemps dans la moutarde ». Il en avait aux « sacrés chiens d'aristos, chouans, roussins, mouchards... ». Il dénonçait aussi bien l'« engrenage du capital », les « exploiteurs, parasites, fainéants, mangeurs de sueur du Peuple ». Et, rappelait-il à son lecteur, « le gouvernement, c'est toi, couillon ! ».

Il était, à sa façon, mémoire. Mais l'essentiel de ses bénéfices, importants, servait à financer *La Sociale,* journal du présent : « Cette fois, la Révolution sociale ne se fera plus au profit de la bourgeoisie, ni au profit du paysan. C'est au bénéfice des travailleurs des villes qu'elle s'accomplira. C'est le droit à l'outil que nous voulons, et nous l'aurons... » Quelques-uns croyaient même apercevoir l'avenir : ainsi Lissagaray, l'historien de la Commune, dans *L'Action,* le 9 avril :

« A côté des paysans, une classe s'est élevée, celle des ouvriers des villes. Avec le siècle, une force est née, c'est l'industrie aux vastes capitaux, aux outillages énormes, retenant enchaînés à elle par la division des travaux des millions de travailleurs. Ces prolétaires... demandent à accomplir à leur tour leur propre révolution sociale. Ils sont les victimes du siècle et n'en sortiront pas sans l'avoir redressé... »

En dépit d'une censure rigoureuse, subsista, pendant toute la durée de l'insurrection une presse républicaine qui n'était pas communeuse. Anti-versaillaise, elle ne cachait pas non plus sa désapprobation des « excès » de la Révolution. Ainsi du *Mot d'Ordre* de Rochefort, ou du *Rappel.* Ces feuilles tentèrent de prendre une position médiane entre Versailles et Paris, dont elles défendaient sans détours le droit aux libertés municipales. *La Vérité* d'Édouard Portalis n'avait-elle pas raison, en quelque manière, de rappeler qu'après tout Paris n'inventait rien ?

« Avant (le Comité central), de célèbres publicistes s'étaient efforcés de démontrer que, sans institutions communales, il n'y avait pas de liberté possible. C'est dans la Commune, écrivait Tocqueville en 1834, que réside la force des peuples libres. Les institutions communales sont à la liberté ce que les écoles primaires sont à la science ; elles la mettent à la portée du peuple ;

elles lui en font goûter l'usage paisible et l'habituent à s'en servir. Sans institutions communales, une nation peut se donner un gouvernement libre, mais elle n'a pas l'esprit de la liberté» (30 mars).

C'est aussi dans cette tradition que se situe la Révolution de 1871.

II. — Les hommes de 1871

Ce Parisien de 1871 qu'on a tenté, à partir de sources fragiles, de faire revivre au quotidien, il reste, plus classiquement à le cerner, socialement et professionnellement. La répression de la semaine de mai a laissé d'abondantes statistiques, utilisables avec prudence ; l'armée fit une quarantaine de milliers de prisonniers, qu'elle ficha et répertoria avec plus ou moins d'exactitude et de bonheur.

C'est un homme dans la force de l'âge que l'insurgé de 1871 : 64 % des condamnés ont de 20 à 40 ans (la proportion équivalente, dans une population «normale», ne serait que de 52 %) : l'âge médian est de 32 ans et demi, comme pour les insurgés de juin 1848 (33 ans). Trois quarts sont nés en province, un quart à Paris : proportion identique encore à celle des combattants de juin 1848 ou des Trois Glorieuses ; depuis 1820, la population parisienne est nourrie très largement d'immigration. Certains signes laisseraient apparaître qu'on a affaire à une population qui n'est pas encore tellement bien intégrée. La proportion de célibataires (49 %, contre 48 % de mariés, 3 % de veufs) est très supérieure à la normale. On compte 11 % d'illettrés totaux, 58 % ne sachant que mal lire et écrire (en général seulement signer). Près de 30 % des condamnés enfin ont eu à quelque moment maille à partir avec la justice, dont 20 % pour «crimes et délits» contre les personnes et les propriétés (petits vols, mais souvent répétés, querelles, mais qui tournent facilement à la rixe), 5 % pour délits contre l'ordre public, autrement dit politiques, 3 % pour vagabondage. Il subsiste quelques traces de ce Paris des classes dangereuses qu'a évoqué Louis Chevalier pour la première moitié du XIXe siècle.

Une classification professionnelle (socialement, dans l'immense majorité des cas, l'insurgé est un salarié, mais petits patrons, petits marchands, ouvriers établis, ne sont nullement absents) donne les résultats suivants, qu'on a rapprochés de ceux de juin 1848 :

	1871				*1848*	
	Arrêtés	*‰*	*Dé-portés*	*‰*	*Condam-nés à la transpor-tation*	*‰*
Agriculture et Carrières	600	17	78	26	37	11
Textile	400	11	39	13	120	36
Vêtement	945	27	63	21	113	34
Chaussure	1 496	42	160	53	120	36
Bâtiment	5 328	151	500	164	446	134
Bois et Meuble	2 929	83	244	80	386	116
Métaux	3 926	111	282	93	345	103
Carrosserie	459	13	37	12	58	17
Cuir	381	11	45	15	61	18
Art - Articles de Paris	2 852	81	241	79	328	99
Livre	925	26	84	28	54	16
Chimie et Céramique	533	15	27	9	40	12
Divers-Industries	644	18	45	15	80	24
Commerces courants	3 147	89	277	91	255	77
Employés	2 741	78	241	79	12	4
Professions libérales	806	23	56	18	97	29
Négociants, propriétaires	387	11	11	4	13	4
Journaliers	4 364	124	488	160	508	152
Domestiques, concierges	1 402	40	22	7	51	15
Métiers des rues	393	11	42	14	74	22
Divers	652	18	61	19	140	41
Total	35 310	1 000	3 043	1 000	3 338	1 000

S'ils permettent d'esquisser un portrait rudimentaire des « sans-voix » de 1871, on n'attachera pas une trop grande importance à ces chiffres et aux comparaisons qu'ils permettent. Toute taxinomie sociale est simplificatrice, voire arbitraire. Les sociologues américains, qui ont étudié récemment les insurrections françaises du XIXe siècle, en usent et abusent pour ne mettre souvent en lumière que des évidences. Leurs savants calculs sont insuffisants, en tout cas, à étayer leurs conclusions. Pour R. V. Gould, alors que juin 1848 serait une insurrection purement sociale, 1871 serait au contraire premièrement politique : réaction non pas « de classe », mais de communauté ou de proximité d'habitat et d'action à une centralisation durement ressentie à travers l'opération haussmannienne de rejet des travailleurs en périphérie de la ville. Cela n'est pas inexact ; il va pourtant de soi, que, comme juin 1848, 1871 est tout en même temps « démocratique et social », comme la République dont, dans les deux cas, les insurgés se réclament.

Retenons qu'on n'a là, au fond, qu'un bon reflet de la population travailleuse parisienne, à plusieurs détails près. Semblent sur-représentés par rapport à la normale les ouvriers du Bâtiment (dont bon nombre sont encore des migrants creusois) et les journaliers (ou terrassiers, charretiers) sans spécialité. Également les ouvriers des métaux, ceux-là plutôt des spécialistes, dont le travail se rapproche des métiers d'art. Ces trois catégories constituent le gros de l'armée insurgée : 39 % des arrêtés et surtout 45 % des déportés. Ce qu'on conviendra d'appeler la « fabrique de Paris » (bijouterie, articles de Paris, auxquels on a joint les ouvriers artistes, sculpteurs, doreurs, graveurs, dessinateurs...) est en bonne place, moins grande néanmoins qu'en juin 1848. Textile et Vêtement (à l'exception de la Chaussure) sont sous-représentés : métiers de pauvres (ce n'est pas nécessairement la pauvreté qui conduit à l'insurrection), métiers très féminisés, d'ailleurs déclinants. La boutique (au premier rang les marchands de vins, 3 % des déportés) joue un rôle important. Ceux qu'on a placés sous la rubrique Professions libérales mériteraient probablement mieux le nom de bohème de Paris.

Le tableau diffère peu de celui de 1848. Place sensiblement moindre des ouvriers artistes ou spécialisés, déclin du textile-vêtement : cela tient aussi bien à l'évolution en vingt ans du travail à Paris. La différence la plus notable tient à la part des employés : nulle en 1848, considérable en 1871 : ils constituent des cadres pour l'insurrection : 37 % d'entre eux sont officiers ou sous-officiers de la Garde nationale, aux côtés des ouvriers du Livre (33 %), des boutiquiers (23 %), contre 7 % pour les rudes ouvriers du bâtiment.

Insurrection, rébellion majoritairement ouvrière. Pour mieux dire, celle du Tout-Paris du travail.

Chapitre VII

D'UN TIERS PARTI RÉPUBLICAIN

Paris, a-t-on dit, fut laissé « seul avec ses idées ». Il ne fut pas, c'est vrai, suivi en mars sur la voie d'une insurrection « communale » par les grandes villes, qu'on avait vu se lever en ce sens même, aux lendemains du 4 septembre. Tout un mouvement cependant, provincial et parisien, bien mis en lumière aujourd'hui, l'accompagna, à sa manière originale.

I. — **Provinciales, II**

Pendant la « semaine de l'incertitude », des révoltes urbaines se déclenchèrent dans le sillage de celle de Paris : « tressaillement », dit Lissagaray. La capitale avait expédié en province des émissaires : Albert Leblanc, Amouroux à Lyon et Saint-Étienne, Mégy et Landeck à Marseille. Ils accompagnèrent, généralement avec une grande maladresse, jamais ne guidèrent, moins encore ne provoquèrent les tumultes locaux. Comme six mois auparavant, les villes de province vivaient à leur rythme propre, diversement modulé dans chaque cas. Et pas plus qu'il n'y eut cette fois encore de mouvement « télégraphié », pas davantage ce ne fut un décalque de ce qui se passait à Paris. Les villes étaient dans une ignorance à peu près complète des événements de la capitale et de leur signification : celle-ci, d'ailleurs, savait-elle à ce moment où elle allait exactement ? Les grandes cités méridionales avaient conquis leurs solides franchises ; elles les avaient largement conservées, en dépit de Gambetta, en dépit des nouveaux préfets nommés par Thiers. Il existe une continuité, réelle, entre ce qui s'était passé en septembre et les troubles qui se produisirent en mars 1871. Ainsi d'abord de Lyon.

Lyon. — La ville était toujours Commune : elle avait dû seulement, le 3 mars, amener son drapeau rouge. La municipalité, conduite par Hénon, se montra tout de suite hostile a la redoutable rupture de la légalité républicaine dans la voie de laquelle s'engageait Paris. Il ne subsistait que des bribes des organisations révolutionnaires de septembre, Comité de Sûreté générale, Comité du libre quartier de la Guillotière. En revanche, un peu dans la manière de Paris, les bataillons de la Garde nationale venaient de former un *Comité central démocratique* : il était composé ici d'officiers.

Ce n'est qu'à partir du 22 mars au soir que la ville commença à s'agiter. La foule occupait la place des Terreaux, et, appuyée par le 22e bataillon (de la Guillotière), envahissait l'Hôtel de Ville. Le mouvement tourna vite à une extrême confusion. Les manifestants voulaient obtenir du maire qu'il proclame une seconde fois la Commune, la restaurant dans la plénitude des libertés conquises le 4 septembre. Hénon s'échappe, le préfet est gardé à vue. Une Commission provisoire placarde une affiche au matin du 23 : « Nous voulons la Commune... Le Conseil municipal s'est laissé dessaisir de certaines attributions... La Garde nationale a voulu agir et vaincre. » Le soir, vers 10 heures, une nouvelle Commune est installée : « Notre ville qui, la première, a proclamé la République ne pouvait tarder d'imiter Paris... Elle vient de reprendre la direction de ses intérêts... Une ère nouvelle commence pour notre cité. »

Une minorité seulement s'était soulevée : vingt-deux commandants de bataillons de la Garde sur vingt-quatre s'opposaient au mouvement. Les partisans de la Commission provisoire, qui avaient décidé de faire procéder à de nouvelles élections, fondaient à vue d'œil. Le 25 au matin, le Conseil municipal reprenait ses fonctions. Lyon, satisfait des franchises qu'elle possédait, n'en avait pas besoin d'autres.

Le Centre. — Autour de Lyon, peu de chose. Le 23 mars, des Grenoblois manifestent devant la Préfecture. A Nîmes, le 24, on promène un drapeau rouge. Saint-Étienne, du 25 au 27, connut cinquante heures d'insurrection, animée par les ouvriers de la Manufacture d'armes, tandis que la grande corporation traditionnellement rebelle des passementiers restait inerte. La Garde nationale acclamait un Comité révolutionnaire. Le préfet de l'Espée ayant été tué, dans des conditions obscures, la troupe intervint ; le mouvement s'était déjà éteint de lui-même.

Il en alla de même dans deux autres citadelles ouvrières. Au Creuzot, le 26 mars, où la municipalité était dirigée par J.-B. Dumay. Menacé de révocation, il installait une éphémère Commune, qui s'effaçait à la vue d'un régiment de cuirassiers. Ni Chalon-sur-Saône, ni Dijon, Mâcon ou Vierzon, appelées à la rescousse, n'avaient bougé. Limoges radicale s'agitait depuis le 22, mais la municipalité, bonne républicaine, prêchait la modération aux quartiers ouvriers « prêts à aller combattre la réaction ». Le 4 avril, le passage d'un train emmenant des renforts à Versailles provoqua une petite émeute. Il suffit là encore de quelques cuirassiers.

Le Midi. — Du 24 au 31 mars, à Narbonne, le journaliste Digeon, s'appuyant sur un *Club de la Révolution,* se proclamait « commandant des forces républicaines de l'arrondissement », formait le projet d'entraîner Carcassonne, Béziers, Cette, Montpellier, Perpignan, pour « tendre la main à Toulouse et Marseille », puis soulever tout le Midi.

A Toulouse, les 24 et 25, on ne saurait parler vraiment de Commune. La Garde nationale voulait empêcher le départ du préfet républicain Duportal, limogé par Thiers, et par là « mettre la République à l'abri des conspirations monarchiques de toutes sortes ». Les insurgés tinrent deux jours le Capitole et la Préfecture. Ils en furent chassés par des volontaires « bourgeois », en vérité surtout légitimistes. Il y eut quelques tumultes à Tarbes, Auch (26 mars), où une délégation alla « sommer le préfet de proclamer la Commune », à Mazamet, où quelques habitants vinrent demander au maire « la permission de proclamer une Commune... » !

Marseille connut, en revanche, la première Commune sanglante. Le 23, la foule, appuyée par les gardes civiques, s'emparait de la Préfecture. Une vaste union régna d'abord contre Versailles, toutes tendances républicaines confondues. Une Commission de douze membres était désignée, comprenant, sous la direction de l'avocat Gaston Crémieux, paritairement des représentants des comités radicaux, de l'Internationale et de la Garde nationale, du Conseil municipal qui restait en place. L'originalité du mouvement est qu'il se voulait départemental :

« Marseille capitale du département... » ; on n'en criait pas moins : « Vive la République, une et indivisible ! » Les Marseillais entendaient « s'administrer eux-mêmes dans la sphère des intérêts locaux... Nous voulons la décentralisation administrative avec l'autonomie de la Commune... ». Mais s'ils se soulevaient, c'était en attendant « la venue d'un préfet sincèrement républicain entre les mains duquel nous nous engageons à remettre le pouvoir ». Fausse émeute, imprudemment pacifique. L'union tourna en confusion. Avant qu'on ne procède à de nouvelles élections municipales, décidées pour le 5 avril, la troupe, aux ordres du général Espivent de Villeboinet, reprenait la ville, avec une brutalité froide, aux cris de « Vive Jésus, vive le Sacré-Cœur ! ». La bataille fit 150 morts du côté du peuple, trente du côté de l'ordre.

II. — « Entre Paris et Versailles il y a du chemin »

Ce ne sont pas ces courtes turbulences qui constituent le fait majeur. Face à l'insurrection de Paris, pour le « parti » républicain, pour les républicains des villes provinciales, plusieurs attitudes étaient possibles. Il était des modérés pour qui l'émeute était une folie. D'autres n'étaient pas *a priori* hostiles – Paris s'était levé pour la défense de la République –, mais se posaient bien des questions. Que signifiait ce « pouvoir communal » qui parvenait si mal à se définir, paraissait tourner à un socialisme dangereusement rouge ? La Commune représentait-elle l'opinion du « vrai » Paris ? On avait quelques raisons d'en douter, notamment depuis le fiasco des élections complémentaires du 16 avril. Paris n'était-il pas en train, par sa déraison révolutionnaire, de compromettre la cause de la République, assise sur des bases si fragiles, si ouvertement menacée ? Fallait-il la guerre civile, « quand la République existe..., quand les Prussiens sont là » ?

La Ligue des Droits de Paris. — Redisons qu'on accable trop volontiers les républicains « bourgeois ».

C'étaient aussi des bourgeois bons républicains. Éloigné de la vie politique, réfugié à Saint-Sébastien, Gambetta s'avouait désemparé, déchiré, le 26 mars :

« Qu'allons-nous devenir ? Tout ceci ne peut finir que par une catastrophe : des journées de septembre ou une Terreur blanche à courte échéance, et peut-être les deux. Il n'y aurait qu'un moyen de sauver la situation : déclarer la République institution définitive... et convoquer dans Paris la nouvelle Chambre en indiquant d'avance le programme législatif qu'elle devra suivre ; puis rentrer hardiment dans la capitale en lui tenant le langage qui convient à la fois à la France et à la population de la grande cité. »

Dans Paris, ils furent quelques-uns, proches du radicalisme gambettiste, qui prirent courageusement, entre Versailles royaliste mais légal et Paris républicain mais insurgé, une position de conciliation, de médiation, dont ils ne se départirent pas jusqu'au dernier jour, en dépit des embûches et des rebuffades. La plupart avaient été du parti des maires : Bonvalet, Corbon, Loiseau-Pinson, Mottu, Allain-Targé, les députés démissionnaires Clemenceau, Lockroy, Floquet... Début avril, ils constituèrent une *Ligue d'Union républicaine pour la Défense des Droits de Paris,* qui disait représenter

« cent cinquante mille neutres, au moins en fait, qui assistent dans Paris au drame dont le dénouement par la force ne saurait être bon, ni pour les uns, ni pour les autres... »,

soit l'opinion médiane d'une petite et moyenne bourgeoisie républicaine, artisane et commerçante, et même celle d'une notable fraction du négoce. Du côté populaire – les élections du 26 mars l'avaient montré – l'action du Comité central n'avait pas fait une véritable unanimité, et, de plus en plus, de solides partisans des franchises communales trouvaient qu'on allait trop loin, désapprouvaient les « excès », perquisitions, arrestations de réfractaires ou d'otages. Parallèlement se constituaient une *Union du Commerce et de l'Industrie,* rassemblant 56, puis 109 Chambres syndicales, toutes les Chambres patronales, quelques Chambres ouvrières, Typographes, Serruriers, ou des coopératives, puis une *Alliance républicaine des départements,* animée par Millière. Les francs-maçons, la Société positiviste de Paris tentèrent également de s'interposer. Paris n'avait pas tous les torts ; Versailles monarchiste était redoutable.

Le 6 avril, la *Ligue,* principale organisation et la plus représentative, proposait un programme d'entente :

« Reconnaissance de la République. Reconnaissance des droits de Paris à se gouverner par un conseil librement élu et souverain dans la limite de ses attributions, sa police, ses finances, son assistance publique, son enseignement et l'exercice de la Liberté de conscience. La garde de Paris exclusivement confiée à la Garde nationale composée de tous les électeurs valides... »

Formellement, ces revendications étaient très proches des exigences minimales des révoltés de Paris. *L'Union des Chambres syndicales,* de son côté, proclamait :

« Paris a fait une révolution aussi acceptable que toutes les autres, et, pour beaucoup d'esprits, c'est la plus grande qu'il ait jamais faite, c'est l'affirmation de la République et la volonté de la défendre... »

Ce que souhaitaient ces conciliateurs, comme naguère les maires, c'était qu'on restât, ou revînt sur le terrain de la légalité, par des concessions réciproques, que l'affrontement de Paris et de Versailles ne tournât pas à la guerre civile. Tout en refusant d'être « à la remorque de ces terroristes », la *Ligue* était en contacts constants avec la Commune, celle-ci tantôt crispée sur ses positions, tantôt disposée au dialogue. On dit que quelques-uns des siens auraient participé à la rédaction de la *Déclaration* du 19 avril. A maintes reprises, elle tenta de fléchir Thiers. En apparence, le chef de l'Exécutif se montrait disposé au dialogue (était-ce pour se mieux donner le temps de préparer la répression ?) ; à plusieurs reprises, il déclara clairement qu'il acceptait la République, fût-ce contre le gré de l'Assemblée ; il refusait de transiger sur l'« insurrection », exigeait une capitulation sans conditions. Et surtout, centralisateur exigeant, il ne voulait pas des « libertés de Paris » : « Paris aura le droit commun, rien de moins, rien de plus. »

L'initiative médiatrice parisienne trouva des échos immédiats en province, où naissaient des projets exactement parallèles. Le Conseil municipal de Lyon demandait qu'on respectât les droits imprescriptibles de toutes les villes, et d'abord de la capitale, l'élection aussi tôt que possible d'une Constituante. Des délégués de la très modérée mais toujours Commune de Lyon (Barodet, Crestin, Ferrouillat) étaient venus, du 16 au 19 avril, proposer à Thiers, au nom de la province urbaine, qu'on trouvât une solution pacifique et républicaine au conflit. Ils n'obtinrent eux aussi que de bonnes paroles. Ils prirent alors contact avec la *Ligue* parisienne. Des liens se nouaient également avec Lille, Bordeaux, Angers, Mâcon, Moulins, un nombre croissant de conseils municipaux républicains.

Le vote, le 14 avril, par l'Assemblée nationale, d'une loi municipale contraignante vint bloquer toute possibilité de discussion. Elle était – Thiers l'avait imposé, y compris contre une droite légitimiste volontiers « municipaliste » – centralisatrice à outrance. Maires et adjoints des communes de plus de 20 000 habitants, des chefs-lieux de département ou d'arrondissement seraient nommés par l'exécutif. Paris était traité avec une rigueur toute spéciale : les deux préfets, de police et de la Seine, étaient maintenus, le Conseil municipal ne jouerait qu'un rôle effacé, ne tenant de sessions que rares et courtes ; maires et adjoints des vingt arrondissements seraient nommés par le pouvoir central, et pris en dehors du Conseil municipal.

La rigueur de cette loi contribua, à Paris et plus encore en province, à renforcer le camp des médiateurs. Les municipalités provinciales, d'abord inquiètes ou partagées, manifestaient de plus en plus de sympathies à la cause communale, multipliaient les adresses à Versailles, conciliatrices d'abord, pour quelques-unes déjà carrément approbatrices des revendications de Paris. Bordeaux et Lyon étaient les épicentres de cette rébellion pacifique. Le 25 avril, le journal *La Tribune* de Bordeaux fixait aux municipalités un triple objectif : « Terminer la guerre civile, assurer les franchises municipales, et constituer la République. »

Les élections du 30 avril. — Le 30 avril eurent lieu dans tout le pays les élections municipales prévues par la loi du 14. On n'a pas étudié de près leurs résultats, qui paraissent bien marquer un important tournant. Selon la presse, sur les 36 000 conseils élus, il n'y en aurait guère eu plus de 8 000 qui aient osé se déclarer franchement monarchistes, ou bonapartistes. Victoire républicaine : victoire parfois de radicaux avancés, sympathiques à la cause de Paris.

D'une longue liste, on retiendra quelques exemples. Le radicalisme républicain apparaît toujours faible dans la France du Nord et de l'Est : des listes qualifiées d'« extrêmes » passent cependant à Boulogne, Saint-Quentin, Troyes (mais non Lille ou Roubaix) ; des « socialistes » auraient été élus à Reims. Rien en Bretagne, sauf à Nantes et Saint-Nazaire. Dans le Sud-Ouest, au dire des procureurs généraux, « les élections ont mis à la tête des municipalités nombre de citoyens suspects ». C'est exact à Toulouse, où passe une liste patronnée par *L'Émancipation,* dans presque toutes les villes du département de l'Ariège, à Auch, Albi, Tarbes, Castres, Périgueux... Exact dans le Centre : à Châteauroux, Nevers, Moulins, Dijon, Vierzon, Chalon, Mâcon,

Roanne, Limoges... Plus encore dans le Midi rhodanien et provençal : Lyon, Marseille, Grenoble, Montpellier, Toulon, Perpignan...

Au Mans, les élus s'apprêtaient à proclamer une Commune, si l'on en croit le général du lieu, qui se préparait à la réprimer. Il n'en fut rien ; en revanche c'est ce qui se produisit dans la petite ville coutelière de Thiers (Puy-de-Dôme), où le sous-préfet dut prendre la fuite devant une foule qui s'emparait de l'Hôtel de Ville, du Télégraphe... et du presbytère, aux cris de : « Nous voulons nos droits... Il faut que les riches paient... Il faut la guillotine. » Commune qui ne dura qu'un fugitif instant.

Ce même 30 avril, Lyon fit une ultime récidive insurrectionnelle : réédition en réduction de l'émeute du 28 septembre ; cette fois encore, l'impulsion venait de Suisse et de militants bakouninistes, un tract parlait de Fédération révolutionnaire des Communes de France. Le mouvement prit quelque ampleur, encore une fois, à la Guillotière. Le 20e bataillon de la Garde nationale s'emparait de la mairie pour interdire le déroulement du scrutin municipal. Il fallut une sérieuse bataille, de 19 à 23 heures, aux ponts de Saône et du Rhône, pour réduire les barricades. Appelée à la rescousse, la Croix-Rousse ne s'était pas dérangée. C'est au cours de cette révolte qu'à un émeutier qui le sommait de choisir son camp, le sage et vieux routier de la République qu'était le docteur Crestin, maire du quartier, fit cette fine réponse, qu'« entre Paris et Versailles il y a du chemin... ».

Le seul résultat de l'aventure fut d'obliger à recommencer un scrutin qui donnait déjà à Lyon une franche majorité aux radicaux. Le 7 mai, Barodet, Ferrouillat, Hénon, des hommes de l'ancienne Commune, s'installaient dans la légalité à la mairie. Leur premier geste fut de défi à Versailles : contrevenant à la loi du 14 avril, la seconde ville de France se donnait librement son maire, Hénon, et ses adjoints.

Le Tiers parti. — Les élections municipales avaient conforté dans ses positions le parti médiateur, qui prenait une envergure presque nationale. Il tenta de forcer la situation, bloquée désormais davantage par l'obstination de Versailles que par celle de Paris. « Versailles est figé, cristallisé... », dit très bien un membre de la *Ligue des Droits de Paris* ; « l'air de Versailles... enlève à ceux qui le respirent une perception nette des choses ».

Le 25 avril, les radicaux bordelais avaient lancé dans *La Tribune* l'idée d'un Congrès des municipalités républicaines de France, qui ferait entendre fortement une voix conciliatrice. Le même projet était formé par la *Ligue* parisienne. Elle rédigeait le 29 avril une *Lettre aux Conseils municipaux,* remarquable explication, presque une justification, des événements de Paris ; elle appelait elle aussi à la tenue d'un Congrès, à Lyon.

« Paris et la province ont les mêmes aspirations... Les sociétés modernes veulent une autre organisation... Il faut que les droits individuels, fortement garantis, s'exercent au sein de la Commune, urbaine ou rurale, autonome et libre. Il faut aussi que, de la Commune jusqu'à la grande unité nationale, les groupes successifs, cantonaux, départementaux, provinciaux, vivent et se meuvent avec indépendance dans la sphère naturelle de leur activité... L'institution des préfets, création de la constitution de l'an VIII, est, à nos yeux, condamnée à disparaître... Le département de la Seine est supprimé... La Préfecture de police est supprimée... »

A peu de chose près, c'était le programme, politique du moins, de Paris révolté, repris par l'aile gauche du parti républicain. Au même moment, les francs-maçons parisiens ralliaient la cause des insurgés : « La Commune, nouveau temple de Salomon, est l'œuvre que les francs-maçons doivent avoir pour but, c'est-à-dire la Justice et le Travail comme bases de la société. » *L'Alliance* de Millière faisait de même.

La *Lettre* atteignit la province le 3 mai, et d'abord Lyon, qui répondait favorablement, avec quelques réserves :

« Paris n'est pas la Commune, mais, tout en désapprouvant ses excès, Paris veut les libertés municipales comme base de la République. La cause qu'il défend est celle de toutes les villes de France... »

D'autres grandes voix républicaines s'exprimaient dans le même sens. Le 22 avril, Edgar Quinet et plusieurs députés de Paris déposaient un projet de loi prévoyant une représentation particulière des villes de plus de 35 000 habitants : « Foyers d'activité intellectuelle, élément indispensable de la nationalité française », elles ne devaient pas être noyées par celle des campagnes. Venu en discussion le 8 mai, le projet fut repoussé. Les députés de Paris n'étaient pas restés tout à fait ces craintifs silencieux qu'on a dits.

On convint de la tenue de deux Congrès, l'un, le 14 mai, à Lyon, des « villes républicaines », l'autre, le 16, des « villes patriotiques », à Bordeaux. Thiers interdit l'un et l'autre. Le Congrès lyonnais se réunit malgré tout le 16, au domicile privé du conseiller municipal Ferrouillat. Des délégués de villes de seize départements du Midi et du Centre y étaient venus*. Ils se mirent d'accord sur les propositions suivantes, qu'ils rendaient publiques le 20 mai :

« La cessation des hostilités.

« La dissolution de l'Assemblée nationale, dont le mandat est terminé, la paix étant signée.

« La dissolution de la Commune. Des élections municipales dans Paris.

« Les élections pour une Constituante dans la France entière... »

Les 17 et 18 mai se tint encore, à Moulins, un Congrès des journalistes républicains radicaux, à l'appel de *La Liberté de l'Hérault et du Gard.* Il y vint des représentants de 50 journaux de 46 villes, et particulièrement de *L'Émancipation* de Toulouse, de *La Tribune, Le Progrès* de Lyon, *L'Égalité* de Marseille, *Le Réveil du Dauphiné, Le Républicain de l'Allier, Le Phare de la Loire, La Défense républicaine,* de Limoges, de journaux du Havre, de Caen, Lorient, Rochefort, Saint-Jean-d'Angély..., et surtout *Les Droits de l'Homme* de

* Ardèche, Bouches-du-Rhône, Cher, Drôme, Gard, Hérault, Isère, Loire, Haute-Loire, Nièvre, Pyrénées-Orientales, Rhône, Saône-et-Loire, Savoie, Var et Vaucluse.

Montpellier, qui venait de se déclarer sans réserves aux côtés de Paris. Rien n'ébranla Versailles. Le 25 mai, *La Tribune* bordelaise ne pouvait que clore cette courageuse initiative du cri : « La Commune est morte, Vive la Commune ! »

Ainsi s'était affirmé, à voix haute et claire, à Paris et surtout en province, ce qu'il est judicieux d'appeler en effet un « Tiers parti » républicain (J. Gaillard). Il ne saurait plus aujourd'hui être question de ce « pacte », tacite ou implicite, de non-agression qu'avait cru apercevoir Daniel Halévy dans *La Fin des notables,* et qui aurait été passé entre les républicains provinciaux et Thiers : l'abandon de Paris, contre leur tranquillité. Au contraire, les villes de province tentèrent d'intervenir, activement ; l'entêtement borné de Versailles les empêcha de réussir ; elles penchaient toujours davantage du côté de Paris, se montraient plus favorables à la cause communaliste. Toutes en tout cas prenaient de plus en plus nettement parti contre Versailles. Ce n'était que la province des villes, encore une fois essentiellement du Centre et du Midi. Par tradition : ce qui se passe en 1871 est aussi un écho, encore que sensiblement modifié, et pacifique, de l'insurrection de décembre 1851. Par la force des choses : toute la France au nord de la Seine se trouvait sous la botte de l'occupant. Tiers parti, d'une « République des villes », proposant une voie franchement décentralisatrice, dans la vraie tradition républicaine, démocratique et sociale, du XIXe siècle.

Épilogue

LA TERREUR TRICOLORE

Paris, peu à peu, avait été hermétiquement encerclé. Le 21 mai, quatre corps d'armée, 130 000 hommes, pénétrèrent dans une ville insouciante.

La Semaine sanglante.

L'assaut avait été prévu pour le 22 ou le 23. Un piqueur des Ponts et Chaussées, Ducâtel, avertit, le 21, les attaquants que les bastions autour de la poterne du Point-du-Jour étaient laissés sans défenseurs. A 6 heures du soir, une avant-garde s'emparait des portes d'Auteuil et de Sèvres, puis de toutes les portes du Sud-Ouest. En quelques heures, tout le XVIe arrondissement, rive droite, était occupé, et, rive gauche, les quartiers populaires de Vaugirard et de Grenelle. Mac-Mahon, commandant en chef, installait son état-major auprès de la colline du Trocadéro. Tôt dans la matinée du 22, les Champs-Élysées étaient atteints, puis les Invalides et l'École militaire. La surprise avait été totale, les quartiers ne furent pas défendus : on était dans le Paris bourgeois : XVIe, VIIe, VIIIe.

Le tocsin ne sonna que ce 22 au matin. Delescluze, délégué à la Guerre, lançait un dramatique appel aux forces populaires : « Assez de militarisme ! Place au Peuple, aux combattants aux bras nus ! L'heure de la guerre populaire a sonné... » Il désorganisait profondément la résistance; chacun ne songea plus qu'à son quartier : ce qui restait de bataillons prêts à combattre se dispersa.

Les Versaillais ne progressaient qu'avec la plus extrême prudence. Au soir du 22, ils n'avaient poussé qu'aux abords de la gare Saint-Lazare, de la Concorde, puissamment barricadée, et de la gare Montparnasse. Le 23, leur progression ne rencontrant que peu de résistance, la Concorde était enlevée, et, rive gauche, la gare Montparnasse et la place d'Enfer (Denfert-Rochereau). Au carrefour de la Croix-Rouge, quelques compagnies, commandées par Varlin et Lisbonne, tinrent toute la nuit. Mais le grand succès du jour, et il était majeur, fut la prise des Buttes-Montmartre. Les gardes nationaux du XVIIe, conduits par Malon, s'étaient battus avec acharnement aux Batignolles et place Clichy. Mais les Versaillais tournèrent Montmartre par le nord : à 12 h 50, le drapeau tricolore flottait sur la tour de Solférino.

Le 24, l'effort de l'armée se porta sur le centre : place Vendôme au Palais royal, aux Tuileries ; elle atteignait le boulevard de Sébastopol et la porte Saint-Denis. Rive gauche, c'était, décisive, la prise du Panthéon, après une rude bataille aux barricades de la rue Soufflot. Depuis la veille, les fédérés avaient commencé à user du feu pour entraver l'avance ennemie. Le 23, la rue Royale brûlait, le 24, la rue de Rivoli, les Tuileries, le Palais royal, la Préfecture de police, le Palais de Justice, la rue du Bac... A 9 heures du soir, une brigade atteignait l'Hôtel de Ville, qui flambait aussi.

En trois jours, la moitié de Paris se trouvait conquise. Les résistances n'avaient été qu'épisodiques et mal coordonnées : on n'était pas encore dans la ville populaire. Mais, au soir du 24, les troupes versaillaises étaient arrivées à cette frontière Nord-Sud – la même qu'en juin 1848 – qui, de la gare du Nord à la Bastille, interdit l'entrée du Paris des bras nus. La vraie bataille commençait.

Les fédérés résistèrent désespérément pendant deux jours sur la ligne du canal Saint-Martin, jalonnée par trois môles défensifs : la Rotonde de la Villette, la place du Château-d'Eau, la place de la Bastille. Dès le 25 à midi, toutes les défenses de la rive gauche avaient cédé, après de dures batailles, place d'Italie et à la Butte-aux-Cailles. La Rotonde tomba le 26, vers 10 heures ; puis ce fut la place du Château-d'Eau que défendait Lisbonne avec 300 hommes. La Bastille, enveloppée de toutes parts, succombait vers 2 heures de l'après-midi. Il ne subsistait plus dès lors que quelques poches de résistance, qu'on liquida lentement, durement. Le 27, les Buttes-Chaumont et le cimetière du Père-Lachaise, qu'il fallut prendre tombe à tombe. Le 28, Belleville était prise à revers. Un ultime bastion tenait encore, à la croisée des rues de Belleville et du Faubourg-du-Temple ; la barricade de la rue de la Fontaine-au-Roi tomba vers les 3 heures. Mac-Mahon pouvait lancer son ordre du jour : « Paris est délivré... L'ordre, le travail, la sécurité vont renaître !... »

L'armée de Versailles n'eut, au total, depuis le début des combats en avril, officiellement, que 873 morts et 6 424 blessés. Chez les fédérés, les morts doivent se compter par milliers (4 000 au combat ?) : on ne laisse guère de survivants derrière une barricade. Mais surtout, le vainqueur procéda à des massacres systématiques, calculés. Ils ne peuvent s'expliquer seulement par l'énervement des troupes, ou la sauvagerie des corps à corps de guerre civile. Les exécutions sommaires commencèrent dès le 22 mai, alors que les troupes n'avaient pas encore rencontré de résistance. Elles se firent très tôt massives. Elles étaient l'œuvre de corps spéciaux de gendarmes et de soldats qui, les troupes combattantes passées, ratissaient les quartiers, arrêtaient au moindre soupçon, et décimaient.

Les fédérés y répondirent par l'exécution des otages. Le 23 mai, Chaudey était fusillé à Sainte-Pélagie sur l'ordre de Raoul Rigault. Le 24, les six de la prison de la Grande-Roquette, dont l'archevêque de Paris, Mgr Darboy, un des présidents de la Cour de cassation, Bonjean. Le 26, les 50 de la rue Haxo : trente-six gardes de Paris, dix ecclésiastiques, quatre civils dont trois mouchards de la police politique. Quatre le 27, dont Mgr Surat, archidiacre de Paris. Ils furent en tout une centaine, victimes du déchaînement d'une foule exaspérée, souvent entraînée par des blanquistes. Victimes dont on ne se préoccupa guère sur le coup : « On n'en parle que secondairement, remarque Élie Reclus. La destruction des propriétés est chose bien plus émouvante que la destruction de la vie humaine... »

Plutôt que de les rendre, les Communards avaient mis le feu à l'Hôtel de Ville, aux Tuileries, « dernier repaire de la monarchie », au Palais de Justice... ; autant de symboles. Près du tiers de Paris brûlait. Ceci aussi explique l'image qu'on se fit, dans l'autre camp, de la révolution populaire.

La justice des hommes. — On continua de tuer pendant une seconde semaine. On avait constitué sommairement des cours martiales, présidées par un juge prévôt ou un officier de gendarmerie. C'étaient les « abattoirs », aux gares, aux casernes, parc Monceau, place Clichy, au Temple, aux Arts-et-Métiers, au square de la tour Saint-Jacques, à l'École polytechnique, au jardin du Luxembourg, le plus terrible. Pour les deux semaines sanglantes, Mac-Mahon avoue un total de 17 000 victimes. Après enquête précise sur les inhumations faites dans les cimetières après l'Insurrection, l'historien anglais R. Tombs propose une approximation de 10 à 15 000 morts. Cependant, dès 1879, Camille Pelletan, puisant aux mêmes sources, en dénombrait 16 ou 17 000, compte non tenu d'une dizaine de milliers d'inhumations probables en banlieue. On ne s'arrêta que lorsqu'on ne sut plus que faire des cadavres, qu'on bourrait dans des charniers, qu'on incinérait dans les casemates des forts : les « honnêtes gens » redoutaient une épidémie de peste. La plus grande part de responsabilité paraît incomber aux généraux de corps d'armée, bonapartistes, monarchistes et cléricaux, tels un Cissey, futur ministre de la Guerre de l'Ordre moral, un Douay, un Vinoy, qui laissaient faire des subordonnés impitoyables, Galliffet, ou le colonel Vabre, quand ils n'ordonnaient pas ; les opérations dans le nord de la capitale, conduites par Clinchant, général patriote, se firent sans massacres (R. Tombs). On ne paraît pas, à l'état-major de Mac-Mahon, au gouvernement à Versailles, s'être d'abord rendu compte de la férocité de la répression militaire, et on avait réellement donné des ordres de clémence. Il n'est que trop facile de faire de Thiers le « nabot sanglant » qu'on a souvent dit : il couvrit, et c'est bien assez.

Vint le temps de la justice « régulière ». On avait fait 43 522 prisonniers, parqués au camp de Satory, dans les caves du château de Versailles, ou sur les pontons des ports, comme des bagnards. Le département de la Seine étant en état de siège, c'est à la justice militaire qu'il appartint de châtier. Vingt-quatre conseils de guerre, siégeant pendant plus de quatre ans, eurent à connaître des cas de 34 952 hommes, 819 femmes, 538 enfants.

Ils prononcèrent 93 condamnations à mort, 251 aux travaux forcés, à vie ou à temps, 1 169 à la déportation en enceinte fortifiée, 3 417 à la déportation simple, 1 247 à la réclusion perpétuelle, 3 359 à des peines de prison. A quoi il faut ajouter 3 313 condamnations par contumace. Il y avait eu 2 445 acquittements ; 22 727 prisonniers avaient bénéficié d'une ordonnance de non-lieu : on avait décidément arrêté trop d'innocents.

Il y eut 23 exécutions, et d'abord, aux poteaux de Satory, le 28 novembre 1871, celles de Théophile Ferré, rendu responsable des exécutions d'otages, de Rossel, l'officier qui avait trahi, et du sergent Bourgeois, un des soldats qui, le 18 mars, avaient mis la crosse en l'air à Montmartre. Les peines de travaux forcés ou de déportation se purgeaient en Nouvelle-Calédonie. On y comptait au 1er janvier 1876 240 condamnés aux travaux forcés, dont 3 femmes, 2 983 déportés simples, dont 13 femmes, 879 déportés en enceinte fortifiée, dont 6 femmes. Une dizaine de milliers de communards au moins avait dû s'exiler en Angleterre, en Belgique, en Suisse. Selon une enquête conduite à la fin de l'année 1871 par le Conseil municipal républicain, Paris avait perdu près de 100 000 travailleurs, le septième de sa population masculine majeure. Il manquait en tout cas quelque 90 000 inscrits sur les listes électorales.

On assista, pendant quelques semaines, à Versailles à un extraordinaire déchaînement d'hystérie, soigneusement orchestré par une certaine presse, *Le Figaro, Le Gaulois,* les feuilles monarchistes. De grands écrivains y cédèrent, la bonne George Sand, trop provinciale désormais pour comprendre Paris, Flaubert... Zola, comme tant de républicains, était partagé : la Commune ne venait-elle pas de compromettre la si fragile République ? Déchiré, un Michelet, frappé d'apoplexie à Florence à la nouvelle de l'incendie de l'Hôtel de Ville, avait ce cri douloureux : « Quand on s'est appelé la Commune, on n'en détruit pas le vivant symbole. » Le seul Hugo, parisien et peuple dans l'âme, qui pourtant n'avait pas approuvé la Commune, sut aussitôt parler au nom des misérables.

Le pardon fut long à venir. Il y avait eu d'innombrables erreurs judiciaires, les tribunaux avaient jugé vite et mal. Cependant une Commission des grâces, désignée le 10 juillet 1871, n'accordera que 306 remises, 286 réductions et 1 295 commutations de peine. Est-ce à la République commençante, et « bourgeoise », qu'il faut imputer à crime la dureté de la répression ? On n'oubliera pas qu'il s'agit, jusqu'en 1876, de la République « sans les républicains ». L'Assemblée des ruraux ne voudra jamais entendre parler d'une amnistie, demandée dès septembre 1871 par Henri Brisson, puis, chaque année, par les républicains radicaux. C'est au cours de la période d'Ordre moral qu'eurent lieu l'essentiel des déportations en Nouvelle-Calédonie, 2 265 sur un total de 3 849. La République installée, c'est vrai, n'offrit l'amnistie, qui est l'oubli, qu'avec retard. Le Sénat ne devint majoritairement républicain qu'en janvier 1879 et continuait d'y faire obstacle, et on craignait d'irriter les électeurs campagnards. L'amnistie intervint, partielle, le 3 mars 1879 (400 déportés sur quelque 600 qui restaient, 2 000 contumaces sur 2 400), entière le 11 juillet 1880 (il n'y avait plus que 543 condamnés contradictoires, 262 contumaces).

CONCLUSION

Ainsi s'achève, ou s'accomplit, dans le crépuscule sanglant d'une impitoyable répression, la longue geste révolutionnaire, parisienne et française, du premier XIXe siècle. Par une insurrection, une révolution somme toute bien douteuse. Une dernière fois, on soulignera le caractère exceptionnel du « mouvement du 18 mars ». Marx, redescendu sur terre après les envolées lyriques de *La Guerre civile,* le rappelle, et rudement, en 1881 :

> « Outre qu'elle fut simplement la rébellion d'une ville dans des circonstances exceptionnelles, la majorité de la Commune n'était nullement socialiste et ne pouvait l'être. Avec un tout petit peu de bon sens, elle eût pu cependant obtenir de Versailles un compromis favorable à toute la masse du peuple, ce qui était la seule chose possible d'ailleurs... »

Extraordinaire « République de la Ville » ! Mais on n'oubliera pas les dimensions provinciales de ce qu'on désignerait plus correctement comme la Révolution de 1870-1871. Il y avait Paris libre ; il y avait eu aussi, ou il y avait encore Lyon libre, Marseille libre, Toulouse, Bordeaux libres... On avait là comme le modèle d'une République à venir. Urbaine, elle n'était qu'irréalisable dans une France plus qu'aux deux tiers rurale, qui lors même qu'elle devient doucement, fermement républicaine, ne laisse pas de redouter les excès des « partageux » des villes.

Prélude, premier acte d'une seconde onde révolutionnaire, celle du XXe siècle ? Tous les mouvements socialistes révolutionnaires, tous les mouvements de libération, ou à peu près, de ce siècle ont cherché dans la Commune de 1871 une sorte de légitimation idéologique. On ne saurait leur dénier ce droit ; à la condition que cette quête de légitimité, cette recherche en paternité, ne conduise pas à remodeler l'événement pour mieux prouver la filiation. Écho, légende, mythe, « représentations » successives et diverses de l'événement de 1871, ou, comme on dit aujourd'hui justement, « construction » de l'événement, ce serait l'objet d'un autre livre. Il vaudrait la peine, aussi, de suivre la descendance proprement dite des idées communalistes dans le socialisme français, à travers le socialisme municipal, ou communal, des Possibilistes, puis avec l'Allemanisme : « Jamais programme ne fut plus hardiment décentralisateur, jamais République ne fut plus largement fédérale que celle pour laquelle militent les membres du parti ouvrier socialiste révolutionnaire » (Allemane, 1891). La Charte d'Amiens, en 1906, ne précise-t-elle pas : « Le syndicat, aujourd'hui groupement de résistance, sera dans l'avenir le groupement de production et de répartition, base de réorganisation sociale... » ? Peut-être faut-il aussi pousser jusqu'à la loi de 1976 qui après si longtemps restitue à Paris ce statut de municipe de plein droit que réclamaient les insurgés de 1871, ou aux lois de décentralisation de 1982, qui viennent renouer enfin avec cette tradition républicaine du XIXe siècle qu'on a dite.

Ce qu'on peut souligner, c'est que le traumatisme profond de l'atroce répression, attribuée (pas tout à fait à raison) à la République « bourgeoise », fera que cette République restera longtemps suspecte, pour ne pas dire plus, à ceux qui vont, vers la fin du XIXe siècle, constituer la classe ouvrière, les prolétaires socialistes, et surtout anarchistes, syndicalistes-révolutionnaires, plus tard communistes. Suspecte peut-être de ce fait la République elle-même, comme régime : il ne sera pas facile de réconcilier *La Marseillaise* et *L'Internationale* et Jaurès dut souvent rappeler aux déshérités que la République est aussi « la chose de tous » ; il n'aimait pas parler de la Commune.

On se souviendra encore que la Commune patriote a servi d'instrument, ou d'alibi dévoyé, contre la République, à un tout autre camp : des communards, non des moindres, se sont retrouvés derrière Boulanger, général versaillais, médiocre fauteur de coup d'État, puis se laisseront tenter par le nationalisme antisémite fin de siècle. On verra paraître, au XXe siècle, des interprétations fascisantes de la Commune.

Pourtant le Peuple de Paris, celui des cités provinciales, en 1870 et 1871, était républicain, profondément, radicalement. Il réclame, acclame, défend jusqu'à la mort la République. Entendons bien qu'il s'agit de la « bonne », la « vraie », la République démocratique et sociale : celle qu'imaginent, espèrent ensemble « socialistes », « communistes », républicains, depuis les années 1830 et 1840. La République par laquelle, pour reprendre les mots de Gambetta devant ses électeurs de Belleville en 1869, « la forme emporte et résout le fond », la « question sociale ». Elle n'est pas un préalable à des réformes économiques, sociales, à suivre, à venir : elle les contient déjà. Inséparablement démocratique, sociale, décentralisatrice, éminemment libre, égale et fraternelle, elle est « la forme enfin trouvée » qui, par définition, transcende toutes les classes et tous les groupes, réconcilie le Peuple avec lui-même, y compris les bourgeois nantis et les misérables. Car, pour le socialisme républicain des années 1830, 1840, et des années 1860 encore, s'il y a bien lutte des classes, celle-ci au fond prendra fin non par l'extinction de l'une, mais par la réconciliation fraternelle de toutes. Et la République serait bientôt européenne, « universelle »...

Idéal, mythe, utopie qui vit ses derniers feux en 1871 ? Peut-être ! Ce n'est qu'une République de compromis nécessaire, terre à terre, qui s'installe en 1879, et paraît aux déshérités se soucier bien peu dans l'immédiat de trouver une solution radicale à la « question sociale ». Il faudra attendre longtemps pour que, comme l'espérait Jaurès, on vît que la forme, démocratique, pouvait être moyen de résoudre, lentement, toujours imparfaitement, le fond, social.

BIBLIOGRAPHIE

Blanchecotte (A.-M.), *Tablettes d'une femme pendant la Commune,* préface de Christine Planté, Du Lérot éditeur, « Idéographies », 1996.

Bourgin (G.), *La Guerre de 1870-1871 et la Commune,* Flammarion, 1971.

Decouflé (A.), *La Commune de Paris (1871), Révolution populaire et pouvoir révolutionnaire,* Éd. Cujas, « Le point de vue du sociologue », 1969.

Gaillard (J.), *Communes de province, Commune de Paris, 1870-1871,* Flammarion, 1971. Ce petit livre a révolutionné notre vision de la France provinciale.

Gould (Roger V.), *Insurgent Identities, Class ; Community and Protest in Paris from 1848 to the Commune,* Chicago et Londres, The University of Chicago Press, 1995.

Greenberg (L. M.), *Sisters af Liberty. Marseille, Lyon, Paris and the reaction to a centralized state,* Cambridge, Mass., 1971.

Johnson (M. P.), *The Paradise of Association, Political Culture and Popular Organizations in the Paris Commune of 1871,* Ann Arbor, The University of Michigan Press, 1996.

Lissagaray (P.-O.), *Histoire de la Commune de 1871,* rééd. Maspero, 1970.

Rials (St.), *Nouvelle Histoire de Paris. De Trochu à Thiers, 1870-1873.* Hachette, 1985. D'une érudition remarquable ; abuse toutefois de la « névrose révolutionnaire » et du « retour du refoulé ».

Rihs (Ch.), *La Commune de Paris, 1871. Ses structures et ses doctrines,* Seuil, 1973. Trop systématiquement idéologique.

Rougerie (J.) (sous la direction de), *1871. Jalons pour une histoire de la Commune de Paris,* Assen, The Netherlands, Van Gorcum, 1972.

Rougerie (J.), *Paris libre, 1871,* Seuil, 1971.

Rougerie (J.), *Procès des communards,* Julliard, « Archives », 1964.

Serman (W.), *La Commune de Paris,* Fayard, 1986. Bonne mise au point de seconde main. Ignore les dimensions provinciales de l'événement.

Tombs (R.), *The War against Paris, 1871,* Cambridge, Londres, Cambridge University Press, 1981. Traduction française révisée et complétée : *La guerre contre Paris, 1871,* Aubier, « Collection Historique », 1997.

SUR LA RÉPRESSION

Baronnet (J.), Chalou (J.), *Communards en Nouvelle-Calédonie. Histoire de la déportation,* Mercure de France, 1987.

Les Galères de la République, par Louis Redon, communard déporté, textes présentés par Sylvie Clair, Presses du CNRS, 1990.

POUR COMPARAISON

Agulhon (M.), *Les Quarante-huitards,* Gallimard-Julliard, « Archives ».

ASPECT DE L'HISTOIRE
ET DE LA LÉGENDE DE LA COMMUNE

Brécy (R.), *La Chanson de la Commune. Chansons et poèmes inspirés par la Commune de 1871,* Éditions Ouvrières, 1991.

BIBLIOGRAPHIE THÉMATIQUE « QUE SAIS-JE ? »

Les grandes dates du XIXe siècle, n° 1132
Chronologie de la France contemporaine de 1815 à nos jours, n° 3163
La Troisième République, n° 520
Napoléon III, n° 3021
L'Empire allemand, n° 3172

TABLE DES MATIÈRES

Introduction 3

Chapitre I — **Naufrage du bonapartisme** 5

Chapitre II — **En un combat douteux : du 4 septembre à la capitulation de Paris** 22

I. Paris, « soixante-dix-huit ans après », 22 — II. Provinciales, I, 29 — III. Hiver de la République, étiage de la Révolution, 37.

Chapitre III — **La révolte de Paris** 42

I. « Cette paix hideuse entre toutes », 42 — II. La semaine de l'incertitude, 51.

Chapitre IV — **La Commune de Paris : les œuvres** 64

I. « Organiser l'apocalypse », 64 — II. La Commune se déchire, 73.

Chapitre V — **La Commune, ce « Sphinx »** 76

I. Paris, ville libre, 77 — II. Dictature des « dignes prolétaires », 83 — III. Relecture du jacobinisme, 85.

Chapitre VI — **Vivre à Paris en Floréal** 87

I. Sociologie du quotidien révolutionnaire, 87 — II. Les hommes de 1871, 100.

Chapitre VII — **D'un tiers parti républicain** 103

I. Provinciales, II, 103 — II. « Entre Paris et Versailles il y a du chemin », 106.

Épilogue — **La Terreur tricolore** 115

Conclusion 121

Bibliographie 125

Imprimé en France
Imprimerie des Presses Universitaires de France
73, avenue Ronsard, 41100 Vendôme
Octobre 1997 — N° 44 444